Niveau avancé

Lucile **C**harliac
Annie-**C**laude **M**otron
Professeurs aux Cours de Civilisation ... ...
de la Sorbonne

PHONÉTIQUE
PROGRESSIVE
DU FRANÇAIS

avec 400 exercices

CLE
INTERNATIONAL
www.cle-inter.com

Table des citations (sauf mention contraire, les éditeurs sont établis à Paris) : p. 11 J.-M. Gleize, in *Cahier de l'Herne* n° 51 *Francis Ponge*, 1986 ; p. 13 J. Prévert, *Paroles*, Inventaire, © Gallimard, 1949 : p. 15 N. Bouraoui, *Garçon Manqué*, © Stock, 2000 ; p. 17 E. Ionesco, *La Cantatrice Chauve*, © Gallimard, 1954 ; p. 19 G. Yvon, *La marquise à 5 heures*, © Éric Losfeld, 1969 ; p. 19 R. Pinget, *L'inquisitoire*, © Éditions de Minuit, 1962 ; p. 19 S. de Beauvoir, *La force de l'âge*, © Gallimard, 1960 ; p. 21 L. de Vilmorin, *Poèmes*, © Gallimard, 1970 ; p. 23 H. Michaux, *Ecuador*, © Gallimard, 1929 ; p. 23 S. Rykiel, *10 mots pour les langues du monde*, Délégation générale à la Langue française, 2001 ; p. 25 A. de Noailles, *Le cœur innombrable*, © Grasset ; p. 25 R. Confiant, *Le Nègre et l'Amiral*, © Grasset, 1988 ; p. 27 J. Jouet, *Langagez-vous*, Délégation générale à la Langue française, 2003 ; p. 29 Y. Theriault, *N'Tsuk*, Quinze, Montréal, © Éditions de l'Homme, 1968 ; p. 31 P. Chamoiseau, *Chemin d'école*, © Gallimard, 1996 ; p. 31 N. Bouraoui, *Garçon Manqué*, © Stock, 2000 ; p. 35 G. Apollinaire, *La chanson du Mal-Aimé*, *Alcools*, © nrf/Gallimard 1920 ; p. 33 J.-L. Fournier, *Grammaire française et impertinente*, © Payot, 1992 ; p. 36 D. Pennac, *Comme un Roman*, © Gallimard, 1992 ; p. 37 A. Chédid, *L'Autre*, © Flammarion, 1992 ; p. 38 M. Aymé, *Contes du Chat Perché*, © Gallimard 1939 ; p. 39 D.-M. Daviau, in *La vie passe comme une étoile filante : faites un vœu*, Québec, © Éditions de l'instant même, 1993 ; p. 41 P. Quignard, *Tous les matins du monde*, © Gallimard, 1991 ; p. 43 Saint-John Perse, *Vents IV, 6*, © Gallimard, 1947 ; p. 45 J. Cocteau, *Les enfants terribles*, © Gallimard Folio, 1972 ; p. 45 A. de Saint-Exupéry, *Le Petit Prince*, © Gallimard folio, 1999 ; p. 45 *Le français correct pour les nuls*, © Éditions Générales First, 2004 ; p. 45 J.-L. Bourdon, *L'hôtel du silence*, Julliard, 1992 ; p. 46 J. Rebotier, *Le désordre des langages*, Besançon, © Solitaires Intempestifs, 1998 ; p. 46 R. Devos, *À plus d'un titre*, © Ed. Olivier Orban, 1989, pp. 118-120 ; p. 49 N. Sarraute, *Pour un oui ou pour un non*, © Gallimard/Folio théâtre, 1982 ; p. 49, H. Le Tellier, *Les Amnésiques n'ont rien vécu d'inoubliable*, Pantin, © Castor Astral, 1998 ; p. 50 J. Prévert, *Barbara*, Paroles, © Gallimard, 1949 ; p. 51 G. Mordillat, *Rue des Rigoles*, © Calmann-Lévy, 2002 ; p. 53 J. Darras, *Nommer Namur*, poème inédit, cité dans *Poésie d'aujourd'hui à voix haute*, © nrf/Gallimard, 1999 ; p. 55 R. Dubillard, *Les diablogues et autres inventions*, © Gallimard, 1975 ; p. 55 P. Delbourg, *Papier Mâché*, Monaco, © Éditions du Rocher, 2001 ; p. 57 E. Ionesco, *Le roi se meurt*, © Gallimard, 1963 ; p. 59 P. Valéry, cité par Pierre Assouline dans « Le Monde » du 30 décembre 2004 ; p. 59 S. Joncour, *Situations délicates*, © Flammarion, 2001 ; p. 61 J. Anouilh, *Antigone*, © La Table Ronde, 1946 ; p. 61 Sempé et Goscinny, *Les Récrés du Petit Nicolas*, © Denoël, 1961 ; p. 63 J.-P. Sartre, *Huis Clos*, © Gallimard, 1964 ; p. 65 G. Perec, *Espèces d'espaces*, © Galilée, 1985 ; p. 67 G. Memmi, *Pour tout dire*, © Éditions de Fallois, 1996 ; p. 69 T. Jonquet, *Mon vieux*, © Seuil, 2004 ; p. 71 H. Le Tellier, *Sonates de Bar*, Pantin, © Le Castor Astral, 2001 ; p. 71 J. Giono, *Colline*, © Grasset, 1929 ; p. 73 R. Queneau, *Bâtons, chiffres et lettres*, © Gallimard, 1965 ; p. 75 J. Cocteau, *La machine infernale*, © Grasset 1934 ; p. 79 A. Gavalda, *Ensemble, c'est tout*, Cergy, © À vue d'œil, 2004 ; p. 80 J. Tardieu, *Le fleuve caché*, © Gallimard Poésies 1938-1961 ; p. 80 Sempé et Goscinny, *Les Récrés du Petit Nicolas*, © Denoël, 1961 ; p. 80 J.-M. G. Le Clézio, *L'extase matérielle*, © Gallimard, 1967 ; p. 83 Cavanna, *Bête et méchant*, © Éditions Pierre Belfond, 1981 ; p. 85 G. Conchon, *L'État sauvage*, © Albin Michel, 1964, avec l'aimable autorisation des Éditions Albin Michel ; p. 85 R. Confiant, *Le Nègre et l'Amiral*, © Grasset, 1988 ; p. 87 Colette, *La seconde*, © Hachette, 1993 ; p. 89 A. Cohen, *Mangeclous*, © Gallimard, 1938 ; p. 91 Hergé, *L'île Noire*, Tournai, © Casterman, 1966 ; p. 91 M. Tournier, *Gaspard, Melchior et Balthazar*, © Gallimard, 1980 ; p. 95 M. Pagnol, *Le château de ma mère*, © LGF, 1965 ; p. 97 Hergé, *L'étoile mystérieuse*, Tournai, © Casterman, 1947 ; p. 97 F. Sagan, *Les Violons Parfois*, © LGF, 1965 ; p. 99 P. Modiano, *Livret de famille*, © Gallimard, 1977 ; p. 101 A. Gide, *Isabelle*, © Gallimard, 1911 ; p. 103 M. Proust, *À la recherche du temps perdu*, © Gallimard, 1918 ; p. 103 A. Cohen, *Belle du seigneur*, © Gallimard, 1968 ; p. 105 J. Tardieu, *La comédie du langage*, © Gallimard Folio, 1987 ; p. 106 J. Tardieu, *Dialogues à voix basse*, © Gallimard 1987 ; p. 106 R. Queneau, *Exercices de style*, © Gallimard, 1947 ; p. 109 J. Tardieu, *La môme néant*, © Gallimard, 1951 ; p. 109 C. Duneton, *Anti-manuel de français*, © Seuil, 1978 ; p. 109 R. Barthes, *Leçon Inaugurale*, Comment vivre ensemble, Cours et séminaires au Collège de France, 1976-1977 ; p. 111 C. Duneton, *Anti-manuel de français*, © Seuil, 1978 ; p. 111 R. Queneau, *Exercices de style*, © Gallimard, 1947 ; p. 111 S. Gainsbourg, *Comic Strip*, © Melody Nelson Publishing, 1967 ; p. 111 J. Genêt, *Les paravents*, © L'Arbalète, 1961 ; p. 111 R. Queneau, *Bâtons, chiffres et lettres*, © Gallimard, 1965 ; p. 113 Fredman & Jim, *Tout ce qui fait râââler les nanas*, © Vents d'Ouest, 1995 ; p. 115 Renaud, *Tu vas au bal ?* © Mino Music, 1985 ; p. 115 B. Lapointe, *T'as pas, t'as pas tout dit*, © Intersong tutti, 1975 ; p. 115 H. Le Tellier, *Joconde sur votre indulgence*, Pantin, © Le Castor Astral, 2002 ; p. 117 J.-L. Fournier, *Grammaire française et impertinente*, © Payot, 1992 ; p. 117 Bloch et von Wartburg, © PUF, 1968 ; p. 118 F. Ponge, *Le savon*, © Gallimard, 1967 ; p. 119 P. Eluard, *La courbe de tes yeux*, extrait de *Capitale de la douleur*, © Gallimard poésies, 1966 ; p. 120 P. Aguilon et N. Saïki, *La Téci à Panam : parler le langage des banlieues*, © Michel Lafont, 1996 ; p. 120 R. Desnos, *Rue Aubry-le-Boucher*, © Gallimard, 1953 ; p. 120 J.-M. Gourio, *Les nouvelles brèves de comptoir*, © Julliard, 1999

Direction éditoriale : Michèle Grandmangin

Édition : Bernard Delcord

Maquette : Télémaque

Mise en pages : STDI

Illustrations : Marco

AVANT-PROPOS

- La phonétique progressive du français *niveau avancé* s'adresse à des apprenants, adultes et adolescents non-francophones, à partir du niveau seuil (niveau B1 / B2 du Cadre Européen Commun de Référence) ; elle encourage, grâce à une approche vivante, l'étude du rythme et de l'intonation, trop souvent négligée dans la plupart des ouvrages d'enseignement du français langue étrangère. Cette méthode pratique d'apprentissage ne saurait présenter l'intégralité des aspects théoriques de ces phénomènes.

La phonétique progressive du français *niveau avancé* complète la phonétique progressive du français *niveau intermédiaire*, dans la même collection, dont les exercices abordent exclusivement et de façon exhaustive les difficultés articulatoires des sons du français.

- La totalité des exercices présentés dans ce livre a été enregistrée en studio sur CD et cassettes.

- Un livret séparé contient les corrigés des exercices et la transcription des enregistrements : cette méthode peut donc être utilisée aussi bien en classe comme support ou complément de cours qu'en auto-apprentissage.

En dépit de l'intérêt que présentent les documents authentiques, leur caractère moins fiable et moins mesurable a imposé la fabrication d'un corpus de phrases élaboré dans une perspective pédagogique.

Lors de la conception de l'ouvrage, la langue a toujours été considérée comme un outil de communication linguistique dont ne sont exclues ni la gestuelle ni la fonction phatique ; l'une des préoccupations constantes a été de créer des exercices qui présentent des situations différentes dans des contextes linguistiques et socioculturels variés, encourageant ainsi le développement simultané des compétences relationnelles et langagières.

Toutefois, la langue utilisée dans les exercices proposés par cet ouvrage relève davantage du *style oral* que du *style parlé*, plus proche de l'usage ordinaire. En effet, ce n'est qu'en maîtrisant les caractéristiques du style oral que l'apprenant pourra acquérir seul les compétences et les intuitions nécessaires à la parole spontanée et familière qui, par ailleurs, ne saurait être enseignée.

Il ne faut en effet pas perdre de vue qu'il n'existe pas un style familier mais des styles familiers, qui varient en fonction de l'âge, du sexe, de l'origine géographique ou socioculturelle du locuteur, de la situation de communication. Chacun implique des différences de syntaxe, de lexique et de prononciation reflétant une absence de contrôle, un besoin de brièveté et d'expressivité. Le style familier au sens large est éminemment instable et pourrait faire l'objet d'une étude à lui seul.

C'est ainsi qu'on trouvera des expressions et des phrases en style familier, toujours signalées par un surlignage, mais que la majorité des exercices proposés utilise un style standard qui n'est marqué ni géographiquement (pas de prononciation régionale) ni socio-culturellement. Les phrases sont relativement courtes et de nombreuses expressions caractéristiques de l'oral sont introduites afin de replacer l'ensemble dans un contexte vivant correspondant le plus possible à la réalité d'une langue authentique.

Cet ouvrage a une visée pédagogique et pratique et les explications données se veulent facilement compréhensibles par un utilisateur non-francophone et non-spécialiste. La prosodie du français parlé fait l'objet de nombreuses recherches et de travaux théoriques parfois controversés dont les résultats évoluent très vite, ce qui a conduit à faire des choix évitant de privilégier une théorie particulière. Les termes grammaticaux et métalinguistiques sont utilisés dans leur acception la plus couramment admise aujourd'hui. Ils sont définis dans le glossaire, à la fin de l'ouvrage.

Cette méthode est composée de 52 leçons groupées en quatre chapitres de difficulté croissante qui supposent que l'apprenant possède déjà une bonne maîtrise de l'articulation du français.
- 1re partie : le rythme. Il s'agit de produire des phrases qui correspondent au mouvement rythmique du français, tout en respectant les phénomènes de continuité ainsi que d'autres spécificités de l'oral.
- 2e partie : les intonations neutres. Les phénomènes et les variations de l'intonation sont, en français seulement, intimement liés aux caractéristiques du rythme, étudiées dans la première partie.
- 3e partie : l'expression des principales émotions. Les schémas fondamentaux des manifestations expressives et de leurs variations se greffent sur les intonations de base étudiées dans la deuxième partie.
- 4e partie : les différents styles. Il s'agit de présenter à l'apprenant les outils articulatoires, intonatifs, syntaxiques et lexicaux lui permettant de s'adapter à différentes situations de communication, et par conséquent d'apprendre à décoder les éléments constitutifs des différents styles pour les utiliser à bon escient.

Chaque leçon est présentée sur deux pages :
- La page de gauche a pour titre une citation, empruntée à un auteur contemporain dans la majorité des cas, qui présente la difficulté étudiée dans la leçon. On trouve ensuite une phase d'observation et de sensibilisation (sonore et graphique) qui permet de mieux saisir le point étudié. Puis viennent des explications ou des schémas pour comprendre comment appréhender la difficulté. Au bas de la page, une activité d'écoute, de discrimination ou d'identification permet à l'apprenant d'isoler, de distinguer et de reconnaître la difficulté, avant de passer à la phase de production.
- La page de droite propose des exercices d'application variés classés par ordre de difficulté croissante, toujours dans une perspective communicative. L'apprenant doit produire des phrases complètes dont le contexte est donné par le titre : exercices de répétition, puis de transformation dialogique, suivis d'exercices de lecture qui prolongent librement la leçon.

Le professeur qui utilise cet ouvrage dans le cadre de son enseignement doit se sentir libre de créer de nouvelles structures sur les modèles proposés, en adaptant le vocabulaire et la situation aux objectifs de ses étudiants.

Les auteurs

définition linguistique de la difficulté

Titre du chapitre

Le titre est une citation qui illustre le thème étudié.

Un dessin illustre le titre.

1 **Découverte individuelle ou avec l'aide de l'enseignant**

▍**Définition**

> Principe à retenir

2 **Exercice d'écoute ou d'appropriation**

3 **Exercices de répétition**
...

5 **Exercices de dialogue**

Un titre donne le contexte
Exemple :

    A : Phrase exemple *B : réponse exemple*
À vous !

1.   A :.....   B :_____
2.   A :.....   B :_____
3.   A :.....   B :_____
4.   A :.....   B :_____
5.   A :.....   B :_____

L E C T U R E

Textes illustrant le thème de la leçon

SYMBOLES UTILISÉS

!	Difficultés particulières	***Il parle français***	indique un groupe rythmique
xxx	Phrases et expressions prononcées en style familier	°	indique une syllabe orale
1	Exercice en style familier	*univers*e*l*	indique une syllabe accentuée
*	Phrase inacceptable	*univers*e*l*	indique une syllabe partiellement accentuée
∟	Enchaînement consonantique		
⌢	Enchaînement vocalique		
‿	Liaison	↗ ↘	indique le schéma intonatif (ici, voix montante puis descendante)
◆	Pause		
¢	Lettre non prononcée	/ /	contient des symboles de l'alphabet international (API), présenté p. 121.

SOMMAIRE

PREMIÈRE PARTIE
La syllabe, le mot, le groupe, la phrase

Le rythme

Les groupes rythmiques et la continuité

Difficultés particulières

DEUXIÈME PARTIE
Les intonations neutres

L'intonation déclarative :
répondre, décrire, donner des informations, conseiller, mettre en relief

L'intonation interrogative :
poser une question, demander confirmation, demander un renseignement, donner un choix

L'intonation impérative :
donner un ordre, exprimer la nécessité, mettre en garde, interdire

TROISIÈME PARTIE
L'expression des émotions

QUATRIÈME PARTIE
Les différents styles

Première partie

La syllabe, le mot, le groupe, la phrase

Le rythme

Les groupes rythmiques et la continuité

Difficultés particulières

L'égalité syllabique, l'accent rythmique

C'est comme une île, l'Europe,
ses hauteurs et ses murs,
la forteresse, les douves.

Danielle Auby, *Brumes sur le détroit*

1 **Écoutez ces mots d'une seule syllabe, comparez-les avec leur écriture et observez.**

Pour mieux comprendre les symboles utilisés, reportez-vous p. 6.

V	Hein ?	C V C	Zut !
V C	Hep !	C V C C	Certes…
V C C	Halte !	C V C C C	Merdre* !
V Sc	Aïe !	C C V C	Stop !
Sc V	Ouais…	C Sc V	Lui ?
Sc V C	Huit !	C Sc V C	Soit !
C V	Non		

* Exclamation célèbre créée par Alfred Jarry dans *Ubu Roi*.

L'accent rythmique

se manifeste toujours par un accroissement de la longueur de la dernière voyelle prononcée.

> Toutes les syllabes ont la même longueur et la même intensité
> (c'est le principe de l'égalité syllabique).
> La dernière syllabe est plus longue que les autres,
> c'est la syllabe accentuée.

2 Écoutez et indiquez les syllabes orales et leur nombre pour chaque mot puis indiquez l'accent rythmique.

Exemple : supporte | *su pporté* | = 2 syllabes orales

1. construire | . . . . | = syllabes orales

4. bière | . . . . | = syllabes orales

2. champagne | . . . . | = syllabes orales

5. héroïque | . . . . | = syllabes orales

3. inusable | . . . . | = syllabes orales

3 Répétez les mots de l'exercice 1 qui sont tous monosyllabiques. Regardez le corrigé de l'exercice 2, répétez les mots puis lisez-les sans l'aide du support sonore.

4 Répétez.

1. un - uni - univers - universel - université - universalité

2. sable - sablé - ensabler - ensablement - désensablement

La règle de l'accentuation sur la dernière syllabe s'applique également aux mots d'origine étrangère.

3. l'opéra – la corrida – le karaoké – le handball – le football – un yaourt – un loukoum – une favela.

5 Qu'en penses-tu ?

Exemple : ***A** : Ça t'intéresse ?*   ***B** : C'est intéressant.*

À vous ! Toutes les réponses ne sont pas formées sur le même modèle.

1. A : Ça t'intéresse ?   **B** : _____

2. A : Ça t'amuse ?   **B** : _____

3. A : Ça t'ennuie ?   **B** : _____

4. A : Ça te fatigue ?   **B** : _____

5. A : Ça t'insupporte ?   **B** : _____

6 De quoi tu parles ?

Le français oral a tendance à tronquer les mots. Retrouvez la forme non tronquée.

Exemple : ***A** : Tu as vu cette pub ?*   ***B** : Quelle publicité ?*

À vous !

1. A : Tu as vu cette pub ?   **B** : _____

2. A : C'est un kiné qui l'envoie.   **B** : _____

3. A : C'est une info surprenante.   **B** : _____

4. A : Je vais l'étudier avec mon prof.   **B** : _____

L E C T U R E

Jean-Marie Gleize, Cahier de l'Herne *Francis Ponge*, 1986

On peut rêver sur un portrait de l'artiste : [...] en protestant, en sensualiste, en agnostique, en polythéiste, en animiste matérialiste, en Romain, en franciscain, en voyeur, en naturaliste-humaniste, en littérateur, [...], et, pourquoi pas, en poète.

O B S E R V E Z

***Pélleas et Mélisande*, Opéra de Claude Debussy, acte IV, scène 12**

(si j'étais Dieu, j'aurais pitié du cœur des hommes).

Dans cette phrase musicale comme dans la parole, la dernière voyelle de chaque groupe mélodique est plus longue que toutes les autres (note blanche).

2 La désaccentuation totale dans les unités lexicales

Les Champs-Élysées, la Tour Eiffel,
hauts lieux de la Ville Lumière.

Brochure touristique sur Paris

1 Écoutez et observez.

| _Paris_ | = | 1 mot | 1 accent | |
| _La Ville Lumière_ | = | 3 mots | 1 unité lexicale | 1 accent |

L'unité lexicale

(mot composé) est un groupe de mots qui forment une unité de sens nouvelle.

> Dans une unité lexicale, seule la dernière syllabe est accentuée et marquée par une variation montante ou descendante. Toutes les autres syllabes sont égales (c'est le principe de l'égalité syllabique) et désaccentuées.

2 Recomposez les unités lexicales comme l'exemple et indiquez l'accent.

Exemple : *les Champs-Élysées*

1. L'Académie	Olympiques
2. L'Île	de l'Europe
3. Les Jeux	de la République
4. Le président	de France
5. Le conseil	Française

3 Regardez le corrigé de l'exercice 2, écoutez-le, répétez les unités lexicales formées puis lisez-les sans l'aide du support sonore.

4 À la banque. **Répétez.**

1. Un compte chèques.
2. Un compte courant.
3. Un compte épargne.
4. Un compte sur livret.

5. Une carte bancaire.
6. Une carte de crédit.
7. Une carte visa.
8. Une carte Premier.

5 À table ! **Répétez**

1. Sers du jambon, du jambon de Bayonne !
2. Ouvre le vin, le vin d'Alsace !
3. Réchauffe les tomates, les tomates farcies !
4. N'oublie pas le fromage, le fromage de chèvre !
5. Prépare une tarte, une tarte aux pommes !

6 Le Midi de la France

Exemple : **A : Ah ! La Côte d'Azur !**   *B : La Côte d'Azur ? C'est dans le Midi de la France ?*
          À vous !

1. A : Ah ! la Côte d'Azur !   **B :** _____
2. A : Habiter Aix-en-Provence !   **B :** _____
3. A : Voir le Pont du Gard…   **B :** _____
4. A : Quelle horreur, l'Étang de Berre !   **B :** _____
6. A : Quelle merveille, le Mont-Saint-Michel !   **B :** _____
7. A : Enfin… Tu sais bien que non !

L E C T U R E   **Jacques Prévert,** *Inventaire*

le raton laveur
un père Noël
trois dimensions
mille et une nuits
sept merveilles du monde
quatre points cardinaux
1 2 3 4 heures précises
douze apôtres
quarante-cinq ans de bons et loyaux services
deux ans de prison

six ou sept péchés capitaux
trois mousquetaires
vingt mille lieux sous les mers
trente-deux positions
deux mille ans avant Jésus Christ
cinq gouttes après chaque repas
quarante minutes d'entracte
une seconde d'inattention
et naturellement
le raton laveur

La désaccentuation dans le groupe rythmique

3

J'en ai marre, marabout, bout de ficelle…

Comptine

1 **Écoutez et observez.**

Un après-midi, je vous ai vue dans une rue. = 3 accents
3 groupes rythmiques

Plusieurs découpages des groupes rythmiques sont possibles (en fonction du locuteur, de son débit, du niveau de langue et de la situation de communication). Les groupes rythmiques sont souvent des unités syntaxiques telles que le groupe nominal (GN), le groupe verbal (GV) ou le groupe prépositionnel (GP).

! La division en groupes rythmiques doit correspondre à la logique de la phrase ; c'est ainsi que

* *Un après-midi, je vous ai vue dans une rue.*

est impossible : un groupe rythmique est aussi un groupe syntaxique et sémantique.

Groupe rythmique

ensemble de mots liés par une très forte cohésion syntaxique et / ou lexicale pour lesquels seule la dernière syllabe est accentuée.

Désaccentuation

un mot qui n'est pas à la fin d'un groupe rythmique perd son accent (il est désaccentué).

> Il n'y a qu'un accent par groupe rythmique.
> Seule la dernière syllabe du groupe rythmique est accentuée, les autres sont égales (c'est le principe de l'égalité syllabique) et désaccentuées.

2 *La Musica Deuxième*, **Marguerite Duras**

Écoutez ce texte, indiquez les accents, soulignez et comptez les groupes rythmiques comme dans l'exercice 1.

1. Vous étiez si belle que je vous ai suivie…   = … groupes rythmiques
2. Vous êtes rentrée dans un hôtel.   = … groupes rythmiques
3. Je vous ai suivie à l'intérieur.   = … groupes rythmiques
4. Vous êtes allée dans le bar de l'hôtel, vous avez commandé un whisky.   = … groupes rythmiques
5. Le barman vous a embrassé la main.   = … groupes rythmiques
6. Vous étiez assise sur un tabouret.   = … groupes rythmiques
7. Vous étiez en noir.   = … groupes rythmiques
8. Oui, c'était bien un whisky qu'il vous a donné.   = … groupes rythmiques
9. Je l'ai remarqué parce qu'à la maison vous n'en buviez jamais.   = … groupes rythmiques
10. Vous disiez que vous n'aimiez pas ça.   = … groupes rythmiques

3 **Les courses. Répétez.**

1. Une chaussure. Une paire de chaussures. - Une belle paire de chaussures.
2. Un magasin. - Un grand magasin. - Un des deux grands magasins.
3. Je fais les courses. - Je fais souvent les courses. - Je fais très souvent les courses.

4 **Regardez le corrigé de l'exercice 2, répétez les phrases puis lisez-les sans l'aide du support sonore.**

5 **Le temps qu'il fait.**

Exemple : *A : Il fait beau.*   *B : Il fait vraiment très beau ?*
              À vous !

1. **A** : Il fait beau.   **B** : _____
2. **A** : Il fait froid.   **B** : _____
3. **A** : Il fait sombre.   **B** : _____
4. **A** : Il fait doux.   **B** : _____
5. **A** : Il fait frais.   **B** : _____

6 **Quand j'étais petit.**

Exemple : *A : Tu gardes les étiquettes de vin ?*   *B : Je les ai gardées…*
              À vous !

1. **A** : Tu gardes les étiquettes de vin ?   **B** : _____
2. **A** : Tu conserves les timbres ?   **B** : _____
3. **A** : Tu observes les oiseaux ?   **B** : _____
4. **A** : Tu développes les photos ?   **B** : _____
5. **A** : Tu collectionnes les calendriers ?   **B** : _____
6. **A** : Tu étudies les champignons ?   **B** : _____

| L E C T U R E |

Nina Bouraoui, *Garçon manqué*

Tout me sépare de ma vie algérienne. Tout. Ce bruit. Cette gare. Ces voyageurs pressés. Mon grand-père. Qui ne dit rien sur Alger. Sur ses plages. Sur le soleil. Sur la chaleur étouffante. Sur la vie de plus en plus difficile des Algériens. Sur l'avenir des Algériens. Sur la souffrance des Algériens. Sur le manque. Sur les pénuries. Sur la violence naissante. Rien.

| E C R I T U R E |

Continuez la comptine.

J'en ai marre, / marabout, / bout de ficelle / selle de cheval…

Entraînez-vous à lire, en veillant à la désaccentuation.

 **4** # La désaccentuation totale du noyau dans le groupe rythmique

A noir, E blanc, I rouge, U vert, O bleu, voyelles.
Je dirai quelque jour vos naissances latentes.

Arthur Rimbaud

1 **Écoutez et observez.**

Il sort seul. / *Il sert seul.*   *À douze ans ?* / *À dix ans ?*

On entend mal une information importante ici : celle portée par l'avant-dernière syllabe, celle qui précède l'accent.

Noyau
élément syntaxique le plus important du groupe (verbe, nom, adjectif...).

Monosyllabe
mot formé d'une seule syllabe prononcée.

> Deux accents ne peuvent se suivre.
> Si le noyau n'est pas à la fin du groupe rythmique,
> il perd totalement son accent.

plusieurs mots, 1 groupe rythmique, 1 accent

2 Écoutez et écrivez le noyau qui est désaccentué.

Exemple : *Je ne veille pas.*

1. Je ne . . . . .pas.
2. Je ne . . . . .pas.
3. Je ne . . . . .pas.
4. Je ne . . . . .pas.

5. C'est . . . . .sale.
6. C'est . . . . .sale.
7. C'est . . . . sale.
8. C'est . . . . .sale.

3 Regardez le corrigé de l'exercice 2, répétez les phrases puis lisez-les sans l'aide du support sonore.

4 Je chante faux. **Répétez.**

1. Je chante. – Je chante faux
2. C'est une chanson. – C'est une chanson triste.
3. Il pleut. – Il ne pleut plus.
4. Il fait un temps ! – Il fait un temps de chien !

5. Elle dort. – Elle dort bien.
6. Quel sommeil… – Quel sommeil d'ange…
7. Tu sais. – Tu ne sais rien.
8. J'ai des résultats. – J'ai des résultats nuls.

5 À l'heure pile !

Exemple : **A** *: Elle part à huit heures ?*   **B** *: Elle part à huit heures pile.*
        À vous !

1. **A** : Elle part à huit heures ?   **B** : _____
2. **A** : Il atterrit à onze heures ?   **B** : _____
3. **A** : Ça commence à sept heures et demie ?   **B** : _____
4. **A** : Tu te lèves à neuf heures moins le quart ? **B** : _____

6 Et pour vous ?

Exemple : **A** *: Du vin ? Du rouge ?*   **B** *: Du vin rouge.*
        À vous !

1. **A** : Du vin ? Du rouge ?   **B** : _____
2. **A** : De l'eau ? Fraîche ?   **B** : _____
3. **A** : Un pain ? De mie ?   **B** : _____
4. **A** : Du beurre ? Doux ?   **B** : _____
5. **A** : Du sel ? Fin ?   **B** : _____
6. **A** : Une bière ? Une blonde ?   **B** : _____
7. **A** : Du fromage ? Blanc ?   **B** : _____

L E C T U R E   **Eugène Ionesco, *La Cantatrice chauve***

– Ma chambre à coucher a, elle aussi, un lit avec un édredon vert et se trouve au fond du corridor, entre les waters, cher Monsieur, et la bibliothèque ! [...]
– J'ai une petite fille, ma petite fille, elle habite avec moi, chère Madame. Elle a deux ans, elle est blonde, elle a un œil blanc et un œil rouge, elle est très jolie, elle s'appelle Alice, chère Madame.

L E C T U R E   **D'après une chanson de Serge Gainsbourg**

Baiser tendre   Baiser long
Baiser fou   Baiser cou
Baiser chaud   Gros bisou
Baiser doux

5

La désaccentuation partielle du noyau dans le groupe rythmique

Le li**eu** mythi que de la cul**ture** ouvri**è** re
sera transformé
en un **si**te cultur**e**l à vocati**on** internationa**le**.

À nous Paris (magazine)

1 Écoutez le titre de cette unité et observez.

Le lieu mythi que de la culture ouvriè re sera transformé en un site culture l à vocation internationa le.

On reconnaît les groupes rythmiques grâce aux mouvements mélodiques montants et descendants portés par les syllabes accentuées à la finale de chaque groupe.
Les noyaux *(lieu, culture, site, vocation)* sont désaccentués dans cette diction neutre.

▌Désaccentuation
un noyau qui n'est pas à la fin d'un groupe rythmique perd son accent (il est désaccentué).

> Le noyau du groupe rythmique est désaccentué
> et ne porte pas de variation mélodique
> s'il n'est pas à la fin du groupe.

2   Écoutez la seconde diction de la même phrase et comparez avec la première.

*Le lieu mythique   de la cult*u*re   ouvri*è*re   sera transform*é

*en un site cultur*el *à vocat*ion   *internatio*n*a*le.

Dans cette diction plus lente, les mots partiellement désaccentués dans la diction neutre *(culture, vocation)* sont accentués ce qui donne à la phrase un effet didactique.
C'est la diction présentée dans l'exercice 1 qui correspond au style naturel.

3   Répétez la phrase en style naturel de l'exercice 1 puis lisez-la sans l'aide du support sonore.

4   Neuf ou ancien ?

Exemple : **A** : *C'est un quartier ne*u*f ?*   *B : Ah non ! C'est un quartier anci*e*n !*
           À vous !

1. A : C'est un quartier neuf ?   B : _____.
2. A : C'est une ville nouvelle ?   B : _____
3. A : C'est un immeuble récent ?   B : _____
4. A : C'est une maison moderne ?   B : _____
5. A : C'est une idée actuelle ?   B : _____

5   *La marquise à cinq heures,* Gustave Yvon

Écoutez ce texte, soulignez les groupes rythmiques et indiquez les accents comme dans l'exercice 1 puis répétez les phrases.
1. La marquise sortit à cinq heures.
2. Elle montait.
3. Elle montait une jument.
4. Elle montait une splendide jument.
5. Elle montait une splendide jument alezane.
6. Elle montait ce jour-là une splendide jument alezane.
7. Elle montait ce jour-là une splendide jument alezane dont le blanc immaculé.
8. Elle montait ce jour-là une splendide jument alezane dont le blanc immaculé seyait.
9. Elle montait ce jour-là une splendide jument alezane dont le blanc immaculé seyait à son teint.
10. Elle montait ce jour-là une splendide jument alezane dont le blanc immaculé seyait à son teint de pécheresse.

Un cheval alezan est de couleur brun rougeâtre. Remarquez l'humour de ce texte surréaliste.

L E C T U R E   **Robert Pinget,** *L'inquisitoire*

Ça va faire dix mois, oui dix ce mois-ci ou le mois prochain, plutôt dix mois à six heures et demie un lundi, je sors de ma chambre je passe devant la sienne et qu'est-ce que je vois la porte ouverte tout en bataille tiroirs placards tout ouverts…

L E C T U R E   **Simone de Beauvoir**

J'admirais, en théorie du moins, les grands dérèglements, les vies dangereuses, les hommes perdus, les excès d'alcool, de drogue, de passion. Sartre soutenait que, quand on a quelque chose à dire, tout gaspillage est criminel. L'œuvre d'art, l'œuvre littéraire était à ses yeux une fin absolue.

La fonction démarcative du schéma rythmique

Gall, amant de la reine, alla, tour magnanime,
Galamment de l'Arène à la tour Magne à Nîmes.

Victor Hugo

De nombreux écrivains francophones se sont amusés à ce jeu littéraire (voir les lectures p. 21).

1 Écoutez le titre cette unité et observez.

Ga̲ll, amant de la re̲ine, alla, tour magnanime,
Galamment de l'Arène à la tour Magne à Nîmes.

Indiquez les accents, soulignez les groupes rythmiques.
Grâce à la distribution des accents rythmiques, on entend qu'il s'agit de deux phrases différentes.

Pause
Moment plus ou moins bref de silence marquant la fin d'une unité syntaxique.

> Le rythme, l'intonation et la pause peuvent jouer
> un rôle démarcatif entre deux phrases.

Exemple : *Il naît très prématuré.*
Il naîtrait prématuré.

2 Écoutez et cochez la phrase que vous entendez.

Exemple : *Il naît très prématuré.* ☒   Il naîtrait prématuré. ☐

1. Tu parais très soucieux. ☐   Tu paraîtrais soucieux ☐
2. Je connais très peu de monde. ☐   Je connais très peu de monde. ☐
3. Il disparaît très souvent. ☐   Il disparaîtrait souvent. ☐
4. On le reconnaît très facilement. ☐   On le reconnaîtrait facilement. ☐
5. Il apparaît très fatigué. ☐   Il apparaîtrait fatigué. ☐

3 Regardez le corrigé de l'exercice 2, répétez les phrases puis lisez-les sans l'aide du support sonore.

4 Jean et moi. **Répétez.**

1. Jean lève son verre. – J'enlève son verre.
2. Jean porte un journal. – J'emporte un journal.
3. Jean voit un signal. – J'envoie un signal.
4. Jean saigne beaucoup. – J'enseigne beaucoup.
5. Jean cadre la photo. – J'encadre la photo.

5 Une famille nombreuse.

Exemple : *A : Il y a d'abord Antoine, Alain-Michel…*   *B : Antoine, Alain-Michel : deux garçons.*
   À vous !

1. **A** : Il y a d'abord Antoine, Alain-Michel…   **B** : _____
2. **A** : Puis Marie-Stéphanie, Elisabeth…   **B** : _____
3. **A** : Enfin, Anne-Claire et Jean-François,
   les jumeaux.   **B** : _____
4. **A** : Ça en fait combien en tout ?   **B** : _____

6 Je n'ai pas dit ça !

Exemple : *A : Un marchand de draps anglais.*   *B : Non, un marchand de draps anglais.*
   À vous !

1. **A** : Un marchand de draps anglais.   **B** : _____
2. **A** : Un professeur d'anglais américain.   **B** : _____
3. **A** : Une valise en cuir de Cordoue.   **B** : _____
4. **A** : Un vendeur de tapis marocain.   **B** : _____

L E C T U R E S   **Louise de Vilmorin**

Étonnamment monotone et lasse   Elle sort là-bas des menthes
Est ton âme en mon automne, hélas !   La belle Ève à l'âme hantée
                      Et le sort l'abat démente.
                      L'abbé laid va lamenter.

L E C T U R E   **Charles Cros**

Dans ces meubles laqués, rideaux et dais moroses,
[…] Danse, aime, bleu laquais, ris d'oser des mots roses.

Les enchaînements consonantiques dans le groupe rythmique

Il n'y a pas d'amou/r heu_reux
Mais c'est notre amour à tous deux.

Louis Aragon, *Il n'y a pas d'amour heureux*

1 **Écoutez le titre de cette unité et observez.**

La consonne / R / du mot amour est prononcée avec la voyelle / φ / initiale de *heureux*
avec laquelle elle forme une nouvelle syllabe orale.
C'est un enchaînement consonantique.
Quelles autres nouvelles syllabes orales sont ainsi produites ?
Il n'y a pas d'amou_lr heu_reux / Mais c'est notre amour à tous deux.

Enchaînement consonantique

Si, dans la prononciation, un mot finit par une consonne prononcée, et que le mot suivant commence par une voyelle, on forme une seule syllabe avec ces deux sons.

L'enchaînement consonantique
doit être réalisé à l'intérieur des groupes rythmiques.

Exemple :   syllabes écrites : a - mour - heu - reux
                  syllabes orales : *a mou rheu reux*
                  en phonétique : / A mu Rφ Rφ /

2   Entretien d'embauche

Écoutez, indiquez les groupes rythmiques et les enchaînements consonantiques comme dans l'exercice 1. Comptez les syllabes orales.

1. Quel âge avez-vous ?   = ... syllabes orales
2. Quel diplôme avez-vous ?   = ... syllabes orales
3. Quelle est votre expérience professionnelle en France ?   = ... syllabes orales
4. On vous donne une réponse en fin de semaine.   = ... syllabes orales

3   **Regardez le corrigé des exercices 1 et 2, répétez les phrases puis lisez-les sans l'aide du support sonore.**

4   **Œuvres d'art. Répétez en veillant à la division syllabique.**

1. Une œuvre inoubliable.   **3.** Un cadre en fer orné.
2. Une montre anglaise ancienne.   **4.** Une table en marbre antique.

5   Ne sois donc pas machiste !

Exemple : *A : Les Américains ont reçu plein de médailles ! B : Les Américaines aussi !*
       À vous ! Tous les féminins ne sont pas formés sur le même modèle.

1. A : Les Américains ont reçu plein
de médailles !   **B** : _____
2. A : Un gymnaste a eu la note maximum.   **B** : _____
3. A : Un nageur a battu le record.   **B** : _____
4. A : Un cycliste a gagné deux courses.   **B** : _____
5. A : Un athlète a réussi le doublé.   **B** : _____
6. A : Un marathonien a fini exténué.   **B** : _____

6   Toujours avec Élise !

Exemple : *A : Il émigre avec sa famille ?*   *B : Il émigre avec Élise.*
       À vous !

1. A : Il émigre avec sa famille ?   **B** : _____
2. A : Il arrive tout seul ?   **B** : _____
3. A : Il emménage en coloc' ?   **B** : _____

« Coloc » est la forme tronquée pour « colocation », c'est-à-dire en partageant un logement.

4. A : Il s'installe avec des copains ?   **B** : _____

L E C T U R E   **Henri Michaux,** *Ecuador*

Arbre à pain, arbre amarre, arbre amphore, arbre des filles de Loth, arbre à feuilles nageoires, arbre à palmes.

L E C T U R E   **Sonia Rykiel,** *10 mots pour les langues du monde*

Encore un trait / Encore un point, un pli.
Encore une page / Encore un moment, le temps de prendre son temps.
Encore une pensée, une injure, un mensonge.
Encore une phrase, un rêve.
  Et puis une erreur. [...]
Encore un débat.
  Non, une mise au point / Peut-être une attaque.

Les enchaînements consonantiques entre groupes rythmiques

8

Une fê/té avec le tir à la carabine et les gaufres et les billards [...]
et les bouteilles de champagne
et les baraques et les manèges.

Jean Cocteau

1 Écoutez le titre de cette unité et observez.

Indiquez les groupes rythmiques et tous les enchaînements consonantiques.

! Les liaisons sont impossibles entre groupes rythmiques (*cf.* leçon 10).

Une fê/te avec le tir à la carabine et les gaufres et les billards [...] et les bouteilles de champagne et les baraques et les manèges.

Enchaînement consonantique

Si, dans la prononciation, un mot finit par une consonne prononcée, et que le mot suivant commence par une voyelle, on forme une seule syllabe avec ces deux sons.

> L'enchaînement consonantique
> doit être réalisé entre les groupes rythmiques.

Exemple : *une fête   avec le tir à la carabine*
syllabes écrites : u-ne-fê-te-a -vec -...
syllabes orales : une - fê - ta - vec -... :
en phonétique : / yn fɛ tA vɛk /

2 Du rock au Zénith !

Écoutez, indiquez les groupes rythmiques et les enchaînements consonantiques. Comptez les syllabes orales.

1. La presse annonce un concert au Zénith.   = ... syllabes orales.
2. Ça semble être une occasion.   = ... syllabes orales.
3. Tu veux prendre une place avec Éric ?   = ... syllabes orales.

3 Regardez le corrigé des exercices 1 et 2, répétez les phrases puis lisez-les sans l'aide du support sonore.

4 Fables de La Fontaine. **Répétez ces titres.**

1. *Le Pot de Terre et le Pot de Fer*
2. *Le Rat de ville et le Rat des champs*
3. *Le Lièvre et la Tortue*
4. *Le Meunier, son Fils et l'Âne*
5. *Le Chat, la Belette et le Petit lapin*
6. *Le Cochon, la Chèvre et le Mouton*

5 Il est fier d'être bourguignon

Exemple : ***A** : La Provence est belle.*   ***B** : La Bourgogne est belle aussi !*
         À vous !

1. **A** : La Provence est belle.   **B** : _____
2. **A** : L'Alsace est touristique.   **B** : _____
3. **A** : Le Pays Basque est sauvage.   **B** : _____
4. **A** : La Bretagne est fascinante.   **B** : _____

6 À quelle heure ?

Exemple : ***A** : Tes enfants se lèvent à sept heures ?*   ***B** : Ils se lèvent à sept heures et demie.*
         À vous !

1. **A** : Tes enfants se lèvent à sept heures ?   **B** : _____
2. **A** : Ils partent à huit heures ?   **B** : _____
3. **A** : Ils déjeunent à onze heures ?   **B** : _____
4. **A** : Ils rentrent à quatre heures ?   **B** : _____
5. **A** : Ils se couchent à huit heures ?   **B** : _____

L E C T U R E   **Anna de Noailles**

Le cèdre énorme du Liban / N'a pas de plus forte armature /
Que cette ineffable torture / Qui écartèle au soir tombant.

L E C T U R E   **Raphaël Confiant,** *Le Nègre et l'Amiral*

Pour commencer, l'orchestre jouait à vide pendant une heure et quelques, le temps pour chacun de dévisager chacune et de se choisir une partenaire. Les hommes mettaient cette courte embellie à profit pour parader dans leurs chemises extravagantes à la mode de Bénézuèle, parlant haut et fort dans un français qu'ils voulaient grandiose et qui n'était que grandiloquent et bourré de fautes, payant leur tournée avec de gros billets chiffonnés qu'ils ôtaient avec dextérité du revers de leurs chaussettes. Les femmes avaient revêtu leur or de Cayenne.

9 Les enchaînements vocaliques dans le groupe rythmique

Il y a‿eu un interminable crissement de pneus [...]
« Allô, Maman, c'est Frankie...
J'ai seulement eu un tout petit accident
avec la voiture... »

Hervé Le Tellier

1 **Écoutez le titre de cette unité et observez.**

La voyelle / ã / de « seulement » est prononcée sans interruption de la voix avec la voyelle / y / de « eu » ; c'est un enchaînement vocalique. De même, la voyelle de « eu » est enchaînée avec la voyelle de « un ».

J'ai seulement‿eu‿un tout petit accident = 10 syllabes orales

Enchaînement vocalique

Si, dans la prononciation, un mot finit par une voyelle prononcée et que le mot suivant commence par une voyelle, on passe d'une voyelle à l'autre sans interruption de la voix.

> L'enchaînement vocalique
> doit être réalisé à l'intérieur des groupes rythmiques.

2   **Écoutez et choisissez.** *Exemple : J'ai ⌢ eu ⌢ une grippe*

	Exemple	1	2	3	4	5
Présent						
Passé composé	X					

3   **Écoutez et choisissez.** *Exemple : J'étais ⌢ exténué.*

	Exemple	1	2	3	4	5
Imparfait passif	X					
Passé composé passif						

4   **Regardez le corrigé des exercices 2 et 3, répétez les phrases puis lisez-les sans l'aide du support sonore.** Remarquez que l'enchaînement vocalique entre voyelles identiques s'accompagne d'un changement de hauteur.

5   Décide-toi !

Répétez. Dites bien également l'intonation alternative (*cf.* leçon 31).
1. Une pizza ou une quiche ?
2. Un rosé ou un rouge ?
3. Un gâteau ou un sorbet ?
4. Un café ou un déca ?

6   Il va réussir !

Exemple : *A : Paul va appeler le DRH ?*   *B : Ça y est ! Il l'a appelé.*

« DRH » = « Directeur des Ressources Humaines », responsable du personnel.

À vous !

1. **A** : Paul va appeler le DRH ?   **B** : _____.
2. **A** : Il va accepter la proposition ?   **B** : _____
3. **A** : Il va attaquer son employeur ?   **B** : _____
4. **A** : Il va annoncer sa démission ?   **B** : _____
5. **A** : Il va aborder la question ?   **B** : _____

7   Tu es déjà allé en Afrique et au Maghreb ?

Exemple : *A : Tu es déjà allé à Dakar et à Abidjan ?*   *B : Jamais ! Ni à Dakar ni à Abidjan.*
À vous !

1. **A** : Tu es déjà allé à Dakar et à Abidjan ?   **B** : _____
2. **A** : Tu es déjà allé à Marrakech et à Agadir ?   **B** : _____
3. **A** : Tu es déjà allé à Constantine et à Alger ?   **B** : _____
4. **A** : Tu es déjà allé à Tombouctou et à Abou Dhabî ?   **B** : _____

L E C T U R E   **Jacques Jouet, *Langagez-vous***

S'exercer pour arriver à composer sans s'efforcer ni transpirer ni inachever
Arriver à composer sans s'efforcer ni transpirer ni inachever puis reprendre
Composer sans s'efforcer ni transpirer ni inachever puis reprendre
et rapprendre
S'efforcer ni de transpirer ni d'inachever puis reprendre et rapprendre à écrire
[…] Écrire sans s'ennuyer ni ennuyer pour innover et s'accomplir en s'exerçant

Les enchaînements vocaliques entre groupes rythmiques

Au grand jamais ⌒ au petit jour
à la grande nuit au petit toujours.

Jacques Prévert

1 Écoutez le titre de cette unité et observez.

! Les liaisons sont impossibles entre groupes rythmiques (*cf.* leçon 13).
Indiquez les groupes rythmiques et tous les enchaînements vocaliques.

Au grand jamais ⌒ au petit jour / *à la grande nuit au petit toujours.*

Enchaînement vocalique

Si, dans la prononciation, un mot finit par une voyelle prononcée et que le mot suivant commence par une voyelle, on passe d'une voyelle à l'autre sans interruption de la voix.

> L'enchaînement vocalique
> doit être réalisé entre les groupes rythmiques.

2 **Ras le bol !**

« Ras le bol ! » = « Je n'en peux plus, j'en ai assez ! »

Écoutez, indiquez les groupes rythmiques et les enchaînements vocaliques comme dans l'exercice 1. Comptez les syllabes orales.

1. Ma journée a été épuisante.   = ... syllabes orales

2. J'ai cherché une revue introuvable.   = ... syllabes orales

3. J'ai attendu un quart d'heure un RER   = ... syllabes orales

RER = Réseau Express Régional, lignes de métro et de train reliant entre elles les banlieues de Paris.

4. Donne-moi un whisky !   = ... syllabes orales

3 **Regardez le corrigé des exercices 1 et 2, répétez les phrases puis lisez-les sans l'aide du support sonore.**

4 **Cher Père Noël...**

Répétez.

1. Apporte-moi un vélo et un train électrique !   **3.** S'il te plaît une Barbie et un Ken !

2. Je voudrais un jeu vidéo et une console !   **4.** Et aussi un tableau à papier et une boîte de feutres.

5 **Au guichet de la poste.**

Exemple : **A** : *Vous avez un paquet ?*   **B** : *Oui, je voudrais envoyer un paquet.*
         À vous !

1. A : Vous avez un paquet ?   **B** : _____

2. A : C'est pour un recommandé ?   **B** : _____

3. A : Votre lettre est urgente ?   **B** : _____

4. A : Vous voulez un joli timbre ?   **B** : _____

6 **À quel endroit ? Dites bien l'intonation du détachement final** (leçon 30).

Exemple : **A** : *Antoine est parti.*   **B** : *Il est parti où, Antoine ?*
         À vous !

1. A : Antoine est parti.   **B** : _____

2. A : Alain a déménagé.   **B** : _____

3. A : Annie a été mutée.   **B** : _____

4. A : Aude a été nommée.   **B** : _____

| L E C T U R E |

Yves Theriault, *N'Tsuk* (Ce texte contemporain fait référence à la culture inuit).

C'était mon enseignement à moi, accordé à nos besoins et à ceux qui s'imposeraient un jour aux petits. Ce n'était pas là un effort qui m'était particulier mais qui était exigé de toutes les Montagnaises, de tous les Montagnais. [...] Assise par terre, je me berçais doucement, de l'avant à l'arrière, donnant le sein au plus jeune. Et je répétais lentement le récit antique. Le jour était presque tombé. La lune jaillirait d'un instant à l'autre.

Les liaisons obligatoires dans le groupe rythmique

Ils‿étaient apparus comme dans un rêve.

Jean-Marie Le Clézio

1 **Écoutez le titre de cette unité et observez.**

Indiquez toutes les liaisons que vous entendez.

*Il**s** **étaient apparus**   **comme dans un rêve**.*

⚠ Il ne faut pas confondre

enchaînement consonantique *Il**l** apparaissait.*

Dans le cas de l'enchaînement consonantique, la consonne n'est jamais muette, elle est prononcée même devant une autre consonne ou devant une pause.

Exemple : *Il venait.*
Apparaissait-il ?

L'enchaînement consonantique est toujours réalisé.

et liaison *Ils‿apparaissaient.*

Dans le cas de la liaison, la lettre-consonne finale n'est prononcée ni devant une autre consonne ni devant une pause.

Exemple : *Ils venaient.*
Apparaissaient-ils ?

La liaison n'est pas toujours réalisée : elle peut être impossible (*cf.* leçon 12) ou facultative (*cf.* leçon 45).

Le style naturel
est employé dans des situations qui n'autorisent pas le style familier.

Liaison
lettre-consonne finale de mot prononcée avec la voyelle initiale du mot qui suit.

> En style naturel, la liaison est obligatoire
> à l'intérieur des groupes rythmiques
> lorsque la cohésion lexicale ou syntaxique
> entre les mots est maximale.

2 **Écoutez et choisissez.** Exemple : *son petit‿ami.*

	Exemple	1	2	3	4	5
Masculin	X					
Féminin						
Je ne sais pas						

3 **Regardez les corrigés des exercices 1 et 2, répétez les phrases puis lisez-les sans l'aide du support sonore.**

4 Grand écrivain ou pas ?

Répétez. Toutes les consonnes peuvent être entendues en liaison ; le « d » se prononce / t / .
1. J'ai beaucou p aimé ses livres.

La liaison avec « beaucoup », mot bisyllabique, résiste moins que les autres liaisons obligatoires.

2. Je le prenais pour un gran d écrivain.
3. On est déçu quan d on lit son dernie r ouvrage.
4. Ce livre est vraiment tro p ennuyeux…

5 Ils délocalisent…

Exemple : **A** : *Ils ont convoqué mon chef…*   **B** : *Ils en ont convoqué plusieurs autres !*
          À vous !

1. A : Ils ont convoqué mon chef…   **B** : _____
2. A : Ils ont licencié trois salariés !   **B** : _____
3. A : Ils ont renvoyé deux collègues !   **B** : _____
4. A : Ils ont révoqué un CDD !   **B** : _____

« CDD » = contrat à durée déterminée.

5. A : Ils ont viré une secrétaire !   **B** : _____

L E C T U R E   **Patrick Chamoiseau, *Chemin d'école***

– Comment s'appelle ce fruit ? demanda [le Maître]…
Un cri-bon-cœur fusa de l'assemblée :
– Un zanana mêssié !

« Zanana » vient de la prononciation du pluriel « des ananas ». La liaison, toujours réalisée, induit un mauvais découpage des mots. Ce type d'erreur est caractéristique des enfants qui ne savent pas encore écrire.

L E C T U R E   **Nina Bouraoui, *Garçon manqué***

Mon père n'est pas un ouvrier. Pas un travailleur immigré. Pas de ceux-là qu'on a humiliés. Qu'on a regroupés. Qu'on a isolés. Qu'on a tardé à instruire. Par peur de la révolte. Qu'on a exploités. Qu'on a ramenés d'Algérie. Comme une denrée. Des mains fortes. De la chair ouvrière. Des hommes.

Les liaisons impossibles devant le h « aspiré »

C'est un trou de verdure où chante une rivière
Accrochant follement aux‿herbes des haillons
D'argent

Arthur Rimbaud, *le dormeur du val*

1 **Écoutez le titre de cette unité et observez.**

herbes : h « muet », liaison obligatoire, *aux‿herbes*

haillons : h « aspiré », liaison impossible, *des haillons*

Pour savoir si un mot commence par un « h muet » ou un « h aspiré », consultez la liste ci-dessous ou le dictionnaire.

❙ Le h « aspiré » ne se prononce pas mais modifie la nature de l'enchaînement avec le mot qui le précède.

> La liaison est impossible avec un mot qui commence par un h « aspiré » ;
> elle est remplacée par un enchaînement vocalique.

Mots les plus courants commençant par un h « aspiré »

hache	haletant	hanneton	harpe	hennir	holà	housse
hacher	haleter	hanter	harpon	hennissement	Hollandais	houx
hachette	hall	hantise	hasard	hérisser	Hollande	hublot
hachis	halle	happe	hasarder	hérisson	homard	huée
hagard	halo	haras	hasardeux	héros*	Hongrie	huer
haie	halte	harceler	hâte	herse	Hongrois	huit
haillons	hamac	hardi	hausse	hêtre	honte	hurlement
haine	hamburger	harem	hausser	hibou	honteux	hurler
haïr	hameau	hareng	haut	hideux	hoquet	hutte
halage	hamster	hargne	hautain	hiérarchie	hors	
hâle	hanche	hargneux	hautbois	hisser	hotte	*Attention :
hâlé	handball	haricot	hauteur	hocher	houblon	le héros,
haler	hangar	harnais	havre	hochet	houle	l'héroïne

2   **Écoutez et choisissez.** Exemple : *les Halles*

	Exemple	1	2	3	4	5	6	7	8	9	10
h « muet »											
h « aspiré »	X										

3   **Regardez le corrigé de l'exercice 2, répétez les mots puis lisez-les sans l'aide du support sonore.**

4   Plus haut ! **Répétez.**

1. A : Parle plus haut, je ne t'entends pas.

2. B : En fait, je pensais tout haut.

3. B : J'ai une idée de la plus haute importance !

4. A : Tu m'intéresses au plus haut point !

5   **Le quartier des Halles.**

Exemple : *A : Tu connais ce quartier ?*   *B : Ah oui, le quartier des Halles !*

          À vous !

1. A : Tu connais ce quartier ?   B : _____

2. A : On y a construit un forum, je crois.   B : _____

3. A : La station de métro s'appelle Châtelet ?   B : _____

4. A : Il y a un nouveau projet, non ?   B : _____

6   Bestiaire… aspiré. **Dites bien l'intonation du détachement final** (*cf.* leçon 25).

Exemple : *A : Tu as déjà observé un hérisson ?*   *B : On en observe peu, des hérissons.*

          À vous !

1. A : Tu as déjà observé un hérisson ?   B : _____

2. A : Tu as entendu un hibou ?   B : _____

3. A : Et vu un héron ?   B : _____

4. A : Tu as eu l'occasion de manger
          un homard ?   B : _____

L E C T U R E   **Paul Verlaine**

Comme on naît, comme on vit, comme on hait, comme on aime.

L E C T U R E   **Jean-Louis Fournier, *Grammaire française et impertinente***

Indicatif présent : Je hais ma mère, tu hais ton père, il hait sa sœur, nous haïssons notre grand-mère, vous haïssez votre tante, ils haïssent leur fils.

Les liaisons impossibles entre groupes rythmiques

L'assassin‿a des allures d'ange.

René de Obaldia

1 **Écoutez le titre de cette unité et observez.**

L'assassin‿a des allures d'ange

« L'assassin », mot accentué, la lettre-consonne « n » n'est pas prononcée.

On‿a vu l'assassin

« On », mot inaccentué interne au groupe rythmique, on prononce un / n / de liaison.

▌Mot accentué
▌ un mot qui est à la fin d'un groupe rythmique porte l'accent du groupe.

> **La liaison est impossible** entre groupes rythmiques,
> après un mot accentué.

2   Art, **d'après Yasmina Reza**

Écoutez ce texte ; indiquez les groupes rythmiques comme dans l'exemple de l'exercice 1 ainsi que les liaisons impossibles entre les groupes, les enchaînements et les liaisons obligatoires.
1. Mon ami Alain a acheté un tableau.
2. Le fond est blanc et si on cligne des yeux, on peut apercevoir de fins liserés blancs en travers.
3. Mon ami Alain est un ami depuis longtemps.
4. C'est un garçon au succès certain, il est médecin allergologue […].

3   **Regardez le corrigé de l'exercice 2, répétez les phrases puis lisez-les sans l'aide du support sonore.**

4   Trop cher, l'immobilier ! **Répétez.**

La liaison est impossible après le nom et à la fin du groupe nominal.

1. Mes parents ont acheté une maison en province :
2. ils cherchaient un pavillon en banlieue
3. mais les prix indiqués étaient trop élevés
4. et un agent immobilier a su les convaincre.

5   Tennis.

La liaison est impossible après les adverbes interrogatifs.

Exemple : **A : *Ils avaient pris des leçons de tennis.***   **B : *Quand avaient-ils pris ces leçons ?***

Quand l'adverbe interrogatif est accentué, la liaison est impossible.
En style plus familier, on peut entendre « Quand est-ce qu'ils avaient pris des leçons ? » où *quand* est inaccentué et la liaison est obligatoire.

À vous !
1. **A** : Ils avaient pris des leçons de tennis.   **B** : _____
2. **A** : Ils avaient fait des compétitions.   **B** : _____

En style familier, on entendra la forme tronquée « compét ».

3. **A** : Ils avaient de mauvais résultats.   **B** : _____
4. **A** : Ils ont fait un stage.   **B** : _____
5. **A** : Ils ont choisi un moniteur.   **B** : _____
6. **A** : Ils auront mérité une coupe.   **B** : _____

6   N'attends pas !

La liaison est impossible après l'inversion impérative.

Exemple : **A : *Je fais un rapport pour demain ?***   **B : *Fais-en un immédiatement !***
          À vous !

1. **A** : Je fais un rapport pour demain ?   **B** : _____
2. **A** : J'écris un compte rendu en urgence ?   **B** : _____
3. **A** : Je rédige un article avant la fin du mois ?   **B** : _____
4. **A** : Je convoque un comité à la fin
   de la semaine ?   **B** : _____

L E C T U R E   **Guillaume Apollinaire**

Mon beau navire ô ma mémoire / Avons-nous assez navigué
Dans une onde mauvaise à boire / Avons-nous assez divagué / De la belle aube
au triste soir.

La chute du /ə/

Ça peut sɇ dire, ça ne peut pas se faire.

Raymond Devos

1 Écoutez le titre de cette unité et observez. Indiquez tous les / ə / non prononcés et comptez les syllabes orales.

Ça   peuṯ   sɇ dirɇ, ça nɇ peut pas sɇ faire.   = … syllabes orales

/ sA   pɸs   diR /

La voyelle / ə /

s'écrit le plus souvent « e ».

Mais la lettre « e » ne transcrit pas toujours la voyelle / ə / :

– la lettre « e » est surmontée d'un accent graphique aigu représente la voyelle / e /
– la lettre « e » est surmontée d'un accent grave ou circonflexe représente la voyelle / ɛ /

La voyelle / ə / se trouve dans les composés de « faire » comme « faisait » et dans « Monsieur ».

> **La voyelle / ə / n'est pas prononcée en position finale non accentuée.**
> **En position initiale ou interne au groupe rythmique, elle peut,**
> **dans certains cas, ne pas être prononcée.**
> **On parle alors de « chute du / ə / ».**
>
> Cette règle ne s'applique pas à certaines prononciations du français marquées régionalement
> ni dans la lecture poétique (*cf.* leçon 52) ou dans le chant.
>
> Dans un langage « jeune », on peut entendre un / ə / prononcé en fin de séquence. Exemple : *bonjour(e)*

2 **Écoutez ce texte de** Daniel Pennac, *Comme un roman,* **barrez les / ə / que vous n'entendez pas et soulignez les / ə / que vous entendez.**

Les droits imprescriptibles du lecteur.
1. Le droit de ne pas lire.
2. Le droit de sauter des pages.
3. Le droit de ne pas finir un livre.
4. Le droit de relire.
5. Le droit de lire n'importe quoi.

6. Le droit au bovarysme
(maladie textuellement transmissible).
7. Le droit de lire n'importe où.
8. Le droit de grappiller.
9. Le droit de lire à haute voix.
10. Le droit de nous taire.

3 **Regardez le corrigé de l'exercice 2, répétez les phrases puis lisez-les sans l'aide du support sonore.**

4 C'est tout toi, ça !

Exemple : **A** *: Tu es drôlement lente !*   **B** *: Eh oui ! Jé fais tout lentément !*

Le / ə / de « je » tombe le plus souvent en style naturel. Cette chute peut s'accompagner, en style familier, d'autres modifications ; ici le / ʒ / est assourdi en / ʃ / (assimilation), *cf.* leçon 47.

À vous !

1. **A** : Tu es drôlement lente !   **B** : _____
2. **A** : Tu es drôlement rapide !   **B** : _____
3. **A** : Tu es drôlement brusque !   **B** : _____
4. **A** : Tu es drôlement douce !   **B** : _____
5. **A** : Tu es drôlement calme !   **B** : _____

5 Une femme pressée ! **Répétez.**

1. Jé suis pressée…

Je suis, cf. remarque Exercice 4 : style familier /ʃsɥi /, style très familier /ʃsɥi /.

2. Jé prendrai lé train dé Marseille mercrédi.
3. Jé me renseignérai chez lé marchand dé biens.
4. Jé visitérai des appartéments lé vendrédi.

5. Jé signérai lé contrat lé samédi.
6. Jé déménagérai dès qué possible.

6 Scène de ménage.

Exemple : **A** : *Tu ne m'as pas dit que tu m'aimais.*   **B** : *Jé te lé dis maintenant.*

Cf. remarque Exercice 4

À vous !

1. **A** : Tu ne m'as pas dit que tu m'aimais.   **B** : _____
2. **A** : Tu ne m'as pas souhaité mon anniversaire !   **B** : _____
3. **A** : Tu ne m'as pas donné mon cadeau.   **B** : _____
4. **A** : Tu ne m'as pas proposé de partir en week-end.   **B** : _____
5. **A** : Tu ne m'as pas dit que tu me quittais !   **B** : _____

| L E C T U R E |

Andrée Chedid, *L'Autre*

– Je ne peux pas partir, Jaïs. Pas avant de l'avoir sorti de là.
– Tu n'y arriveras jamais. Tu ferais mieux de rentrer avec moi à la maison. C'est la troisième fois que je reviens, que je trompe la surveillance des autorités. Demain, ils doublent leurs effectifs, personne ne pourra traverser le cordon sanitaire, comment ferais-je pour te rejoindre ? Allons, tu viens ?... Mais, réponds, Simon. Parle. Enfin, qui est cet homme ? Tu ne le connais même pas !

La chute du /ə/ à l'initiale de polysyllabe – la règle des trois consonnes

J'avais d̸mandé un croissant
ou un petit pain.

Jorge Semprun

1 **Écoutez et observez.**

J'avaiṣ demandé un croissant ou un pe̸tit pain.
La voyelle / ə / de « demande »
n'est pas prononcée : elle n'est précédée
que par une consonne prononcée : le / d /.

*Jorg̸ demand̸ un croissant ou une petit̸
brioch̸.*
La voyelle / ə / de « demande » est prononcée :
elle est précédée de plus d'une consonne
prononcée ; ici, il y a trois consonnes prononcées :
/ R /, / ʒ / / d /.

Polysyllabe
Mot formé de plusieurs syllabes.
Un polysyllabe commençant par / C ə / a deux prononciations différentes selon l'environnement
phonétique.

> La chute du / ə / à l'intérieur d'un groupe rythmique obéit à la règle
> dite « des trois consonnes » :
> / C ø C /   / C C ə C /

2 **Écoutez ce texte de** Marcel Aymé, *Contes du Chat perché* ; **barrez les / ə / que vous n'entendez pas et soulignez les / ə / que vous entendez.**

Le renard

1. On peut très bien vivre sans maître, et le mieux du monde, je t'assure.

2. Moi qui vis depuis bientôt trois siècles

3. (il disait trois siècles, mais ce n'était pas vrai : il était né en 1922),

4. moi qui vis depuis trois siècles,

5. je n'ai jamais regretté une seule fois d'être libre.

6. Et comment le regretterais-je ?

3 **Regardez le corrigé de l'exercice 2, répétez les phrases puis lisez-les sans l'aide du support sonore.**

4 J'ai froid… **Répétez.**

1. A : Ferme la fenêtre !   **2. B** : Dans deux secondes…

Seconde : le « c » se prononce / g / ce qui sonorise le « s » en / z / (assimilation, *cf.* leçon 49).

3. A : S'il te plaît, je relève d'une grippe !   **4. B** : Mets ta chemise !

5 Votre argent m'intéresse… **Répétez**

Votre argent m'intéresse fait référence à la campagne publicitaire d'une grande banque.

1. Je regrette de vous le dire,   **4.** Je refuse le prélèvement des agios,

2. J'ai reçu le relevé de mon compte,   **5.** Et je vous retire la gestion de mon compte.

3. J'ai remarqué deux erreurs.   **6.** Je ne reviendrai pas sur ma décision !

6 Encore une fois !

Exemple : *A : Tu me les joues ?*   *B : Je te les rejoue.*

Pour la prononciation de « je », voir leçon 49, l'assimilation.

À vous !

1. A : Tu me les joues ?   B : _____
2. A : Tu me les corriges ?   B : _____
3. A : Tu me les copies ?   B : _____
4. A : Tu me les déposes ?   B : _____
5. A : Tu me les demandes ?   B : _____

L E C T U R E   **Diane-Monique Daviau**

Maintenant, je repousse la tasse vide, je glisse le livre dans mon sac, je me lève, je rezippe mon blouson dans un grand zzz*iiip* qui fait frissonner mémé, je respire un bon coup et pendant que je traverse à nouveau la salle tout à coup toute la terrible tribu du troquet me tient. Me retient. Et tombe doucement dans mes bras dépourvus de tatouages. Lentement dans mes bras. Dans *mes* bras.

La prononciation du /ə/ dans les polysyllabes

De mes pre̱mières années,
je ne retrouve que des impressions confuses.

Simone de Beauvoir

1 **Écoutez le titre de cette unité, indiquez tous les / ə / prononcés.**

De mes pre̱mières années, je ne retrouve que des impressions confuses.
Rappel de la règle « des trois consonnes » : un / ə / , précédé de deux consonnes prononcées, est prononcé. Ici, le / ə / de « premières » est prononcé puisqu'il est précédé de / p / et de / R / .

Labialisation
Les lèvres sont en position arrondie tendue vers l'avant.

> La voyelle / ə / se prononce
> fortement labialisée.

2 **Écoutez et choisissez.** Exemple : *Repartir*

	Exemple	1	2	3	4	5	6	7	8	9	10
Voyelle / ə /	X										
Voyelle / E /											

3 **Regardez le corrigé des exercices 1 et 2, répétez la phrase et les mots puis lisez-les sans l'aide du support sonore.**

4 Tu te moques de moi !

Exemple : ***A : Tu as pris du repos ?***   *B : Quel repos ?*

À vous !

1. A : Tu as pris du repos ?   B : _____

2. A : Ça dépasse la mesure !   B : _____

3. A : N'aie pas de regrets…   B : _____

4. A : Il voudrait me faire la leçon !   B : _____

5. A : Tu as eu le temps de faire des retouches ?   B : _____

5 Fin de non recevoir. **Répétez.**

1. Le directeur accorde une entrevue à leurs représentants.

2. Il ne leur consacre qu'une seconde

3. pour expliquer les besoins du personnel.

4. Il rejette la question sur une secrétaire

5. en exprimant beaucoup de regrets.

6 À Montpellier

Exemple : ***A : Il a étudié un semestre.***   *B : Un semestre à Montpellier ?*

Le / ə / de « semestre » est prononcé pour mieux manifester la surprise. (*cf.* leçon 46)

Montpellier est prononcé avec un / ə / en dépit des deux « l » qui suivent le « e ».

À vous !

1. A : Il a étudié un semestre.   B : _____

2. A : Il a participé à un atelier.   B : _____

3. A : Ça a duré une semaine.   B : _____

4. A : Puis il a fait l'école hôtelière.   B : _____

5. A : Il est devenu sommelier.   B : _____

L E C T U R E   **Pascal Quignard,** *Tous les matins du monde*

Il s'appelait Marin Marais. …Il avait été recruté à cause de sa voix pour appartenir à la maîtrise du roi dans la chantrerie de l'église qui est à la porte du château du Louvre… Puis, quand sa voix s'était brisée, il avait été rejeté à la rue ainsi que le contrat de la chantrerie le stipulait.

Perruque à la main, il ressentit tout à coup de la honte de ce qu'il venait de dire. Monsieur de Sainte-Colombe demeurait le dos tout droit, les traits impénétrables.

La prononciation des voyelles devant le h « aspiré »

– Je ne ressens que de la‿haine.
– Moi aussi. Je hais tous ceux qui nous ont interdit ces livres.

Dai Sijie

1 **Écoutez le titre de cette unité et observez.**

h « aspiré »

La‿haine.
°   °   = 2 syllabes orales
Je‿hais.
°   °   = 2 syllabes orales

Le « h » de *haine* est aspiré, on écrit et on prononce le / A / de *la* (on ne fait pas d'élision) et on fait un enchaînement vocalique. De même pour le « h » de *hais*.

h « muet »

L'heure.
°   = 1 syllabe orale
J'aime.
°   = 1 syllabe orale

Le « h » de *heure* est muet, on fait l'élision du « a » de *la* comme on fait l'élision du « e » de *je* devant la voyelle de *aime*.

Le h « aspiré » ne se prononce pas mais la voyelle qui le précède doit être prononcée (on ne fait pas l'élision).

On prononce la voyelle finale du mot qui précède le h « aspiré »
et on réalise un enchaînement vocalique.

Une liste des mots les plus courants commençant par un h « aspiré » se trouve leçon 12, p. 32.

2 **Écoutez et choisissez.** Exemple : *une harpe*

	Exemple	1	2	3	4	5	6	7	8
h « muet »									
h « aspiré »	X								

3 **Regardez le corrigé de l'exercice 2, répétez les phrases puis lisez-les sans l'aide du support sonore**

4 **Très haut ! Répétez les expressions.**

1. La haute couture.
2. La haute finance.
3. De haut en bas.

4. De haute lutte.
5. Le Haut-Rhin.
6. La Haute-Savoie.

Le Haut-Rhin et La Haute Savoie sont des départements.

5 **Tu as bien raison !**

Exemple : **A : *Quelle belle haie !***
À vous !

B : *Ah oui ! Pour une haie, c'est une belle haie !*

1. **A** : Quelle belle haie !
2. **A** : C'est une grande honte…
3. **A** : Tu as vu cette petite hache ?
4. **A** : C'était une longue halte !

B : _____
B : _____
B : _____
B : _____

6 **Histoire haletante… Répéter.**

1. Un cauchemar le hante…
2. On le harcèle de toutes parts…
3. Son poil se hérisse…
4. Il se hâte…
5. Il se heurte aux meubles…

6. On le houspille…
7. On le hait…
8. Il se hisse vers la sortie…
9. Ouf, il est hors de danger !

L E C T U R E

Saint-John Perse

C'étaient de très grands vents sur la terre des hommes - de très grands vents à l'œuvre parmi nous,
Qui nous chantaient l'horreur de vivre, et nous chantaient l'honneur de vivre,
ah ! nous chantaient et nous chantaient au plus haut faîte du péril,
Et sur les flûtes sauvages du malheur nous conduisaient, hommes nouveaux, à nos façons nouvelles.
(…)
Et de ce même mouvement de grandes houles en croissance, qui nous prenaient un soir à telles houles de haute terre, à telles houles de haute mer,
Et nous haussaient, hommes nouveaux, au plus haut faîte de l'instant, elles nous versaient un soir à telles rives, nous laissant,
Et la terre avec nous, et la feuille, et le glaive - et le monde où frayait une abeille nouvelle…

Les consonnes géminées

Le noir roc courroucé

Stéphane Mallarmé

1　**Écoutez le titre de cette unité et observez.**

Le noir roc courroucé

Le / R / final de « noir » est en contact avec le / R / initial de « roc ».
Il faut prononcer un / R / prolongé et intensifié.
Quelles autres consonnes géminées remarquez-vous dans ce vers ?

❙ Les consonnes géminées

sont deux consonnes identiques, mises en contact, qu'il faut prononcer toutes les deux.

> Il existe deux sortes de consonnes géminées :
> – par juxtaposition : *Il lit*
> – par chute du / ə / : *Tu lə̸ lis.*

Les consonnes doubles dans l'orthographe se prononcent comme une seule consonne sauf dans certains mots par hypercorrection :
grammaire.
Dans la conjugaison de certains verbes, on peut rencontrer des lettres doubles dans l'orthographe dont la prononciation est géminée.
Exemple : *Il courait* (imparfait) *Il courrait* (conditionnel).

2 **Écoutez et choisissez.** Exemple : *Il l'a chanté*

	Exemple	1	2	3	4	5	6	7	8	9	10
Pronom complément	X										
Pas de pronom complément											

3 **Regardez le corrigé des exercices 1 et 2, répétez les phrases puis lisez-les sans l'aide du support sonore.**

4 Elle est partie... **Répétez.**

1. Annette t'a raconté ?
2. Pierre restait tout le temps à la maison.
3. Nous nous voyions trop.

4. Je ne cherche pas de mauvaises excuses...
5. Bref, je viens de déménager.

5 Quelle vie !

Dans ces phrases, les consonnes géminées permettent de distinguer le singulier du pluriel du verbe.

Exemple : **A : *Il vend des assurances.***   **B : *Tous vendent des assurances.***
                À vous !

1. A : Il vend des assurances.   **B :** _____
2. A : Il convainc quelques clients.   **B :** _____
3. A : Il s'interrompt pour déjeuner.   **B :** _____
4. A : Il s'y remet très vite.   **B :** _____
5. A : Il rend des comptes.   **B :** _____
6. A : Il devient neurasthéniques...   **B :** _____

6 **Relevez les consonnes géminées dans les textes ci-dessous.**

L E C T U R E   1   **Jean Cocteau, *Les enfants terribles***

La bataille lui donnait du courage. Il courrait, il rejoindrait Dargelos,
il se battrait, le défendrait, lui prouverait de quoi il était capable.

L E C T U R E   2   **Antoine de Saint-Exupéry, *Le Petit Prince***

– Ah ! dit le renard... Je pleurerai.
– C'est ta faute, dit le petit prince, je ne te souhaitais point de mal, mais tu as
voulu que je t'apprivoise...

L E C T U R E   3   ***Le français correct pour les nuls***

Il y a peu, vous alliiez ensemble commerce et industrie.

L E C T U R E   4   **Jean-Louis Bourdon, *L'hôtel du silence***

Berthe : [...] il a besoin de moi, Franck, je n'y peux rien, je crois que si je
n'étais pas là, il en mourrait.
Franck : Peut-être que c'est toi qui en mourrais, m'man.

LECTURE 1

Anatole France

La langue française est une femme. Et cette femme est si belle, si fière, si modeste, si hardie, si touchante, si voluptueuse, si chaste, si noble, si familière, si folle, si sage, qu'on l'aime de toute son âme, et qu'on n'est jamais tenté de lui être infidèle.

LECTURE 2

Jacques Rebotier, *Le désordre des langages*

De l'indétermination.
On dit :
Il pleut. Il vente. Il tonne.
(Voire même, il tempête).

On ne dit pas :
Il foudre. Il éclaire.
Qui est Il ?
Qui est On ?

LECTURE 3

Raymond Devos, *À plus d'un titre*, Ed. Olivier Orban, 1989, pp. 118-120

On dit qu'un mime sait tout faire. C'est faux ! Un mime ne peut pas tout faire. Exemple : Un jour… je devais mimer un personnage qui n'avait rien à faire… Eh bien… je n'ai rien pu faire ! Parce que ne rien faire, ça peut se dire. Ça ne peut pas se faire ! En outre, je ne pouvais rien faire, parce que le personnage qui n'avait rien à faire… en plus n'avait rien à dire !… Le directeur de la salle me l'avait bien spécifié. Il m'avait dit :
– Pensez bien à ce que vous avez à faire !
C'est-à-dire, en fait : « Ne pensez à rien ! »
Et il avait ajouté :
– Surtout, ne le dites pas !
Et moi, je lui avais donné ma parole de mime que je ne dirais rien.
Je suis entré sur scène et j'ai commencé à ne rien faire… sans rien dire !
Ça n'a l'air de rien… mais il faut le faire… ! Et il ne suffit pas de le dire…
Et paradoxalement, plus je ne faisais rien, plus les gens, dans la salle, disaient :
– Qu'est-ce qu'il fait ?
Parce que le public… lui, n'est pas fou !
Il voyait bien que je faisais quelque chose… mais comme c'était rien, il se demandait ce que j'étais venu faire. Les critiques, eux, par contre, voyaient bien que je ne faisais rien, et que je le faisais bien ! Seulement, ils s'attendaient à plus. Et moi qui déjà ne faisais rien, je ne pouvais pas faire moins. Alors, au bout d'un moment, dans la salle, les gens qui ne voyaient rien ont commencé à trouver à redire :
– Il pourrait au moins faire un geste, avoir un bon mouvement !

Les intonations neutres

La fonction démarcative du schéma intonatif

Il pleut. Il pleut ? Il pleut !

Samuel Beckett

1 Écoutez le titre de cette unité et comparez.

1. *Il pleut.* L'énoncé est fini, c'est une phrase déclarative, la voix descend sur la dernière syllabe (celle qui porte l'accent), la phrase se termine par un point.

2. *Il pleut ?* L'énoncé est une question, c'est une phrase interrogative, la voix monte beaucoup sur la dernière syllabe (celle qui porte l'accent), la phrase se termine par un point d'interrogation.

Intonation (mélodie)
Variations de hauteur (accompagnées le plus souvent d'une variation d'intensité et / ou de longueur).

> Une phrase peut avoir plusieurs significations en fonction de l'intonation :
> – c'est une assertion, la voix descend. ↘
>
> – c'est une question, la voix monte beaucoup. ↗

2 Écoutez et choisissez. Exemple : *C'est bien…*

	Exemple	1	2	3	4	5	6	7	8	9	10
Assertion											
Interrogation											
Autre	X											

3 Regardez le corrigé de l'exercice 2, répétez les exercices 1 et 2 puis lisez-les sans l'aide du support sonore.

4 Répétez.

Avec le facteur
1. A : C'est pour moi ?
3. A : C'est pour moi.

2. *Le facteur :* C'est pour Madame Martin.

À l'accueil.
1. *La secrétaire :* Vous avez rendez-vous ?
3. *La secrétaire :* Vous avez rendez-vous.

2. B : Je suis Monsieur Dupont.

Malade ou pas ?
1. A : Tu es encore malade ?
3. A : Tu es encore malade.

2. B : J'ai 38°5.
38°5 : c'est la température du corps en degrés Celsius.

5 Question ou assertion ? Écoutez, choisissez l'intonation que vous entendez et cochez la situation qui lui correspond.

Exemple : *Il joue bien.* / *Il joue bien ?*
    Situation a.   *Avant un match de tennis avec un inconnu.*   X
    Situation b.   *Après le match*

1. C'est bon. / C'est bon ?
    Situation a.   *Vous avez goûté un plat.*
    Situation b.   *Vous hésitez à goûter un plat.*

2. Ça va comme ça. / Ça va comme ça ?
    Situation a.   *Vous n'êtes pas sûr qu'il y ait assez.*
    Situation b.   *Vous avez assez.*

3. Je peux vous aider. / Je peux vous aider ?
    Situation a.   *Vous offrez vos services dans la rue.*
    Situation b.   *Une personne demande de l'aide pour traverser.*

L E C T U R E   **Nathalie Sarraute,** *Pour un oui ou pour un non*

H. 1 : Et alors je t'aurais dit : « C'est bien, ça ? »
H. 2, soupire : Pas tout à fait ainsi… il y avait entre « C'est biiien » et « ça » un intervalle plus grand : « C'est biiien…ça… » Un accent mis sur « bien »… un étirement : « bien… » et un suspens avant que « ça » arrive… ce n'est pas sans importance.

L E C T U R E   **Hervé Le Tellier,** *Les amnésiques n'ont rien vécu d'inoubliable*

À quoi tu penses ?   Et là, tout de suite, sans réfléchir, à quoi tu penses ?
Je pense à toi et moi.   Je pense à moi. Et toi ?

20 L'intonation déclarative – un groupe rythmique

Rues vides. Façades sombres.

Nathalie Sarraute

 1 **Écoutez le titre de cette unité et observez.**

Rues vides. *Façades sombres.*

Un seul groupe rythmique, un seul accent, une seule variation du ton.
L'énoncé est fini, la voix descend, la phrase se termine par un point.

L'intonation déclarative

est utilisée pour énoncer, décrire, affirmer, sous une forme positive ou négative.
À l'écrit, elle correspond au point final.

> Une phrase déclarative formée d'un seul groupe rythmique se caractérise
> par une descente de la voix sur la dernière syllabe (celle qui porte l'accent).

2 *Barbara,* **Jacques Prévert**

Écoutez et repérez les variations du ton déclaratives dans ce poème et indiquez-les par des points de fin de phrase. Exemple : Rappelle-toi Barbara.
1. Il pleuvait sans cesse sur Brest ce jour-là
2. Et tu marchais souriante
3. Épanouie ravie ruisselante
4. Sous la pluie

3 **Regardez le corrigé de l'exercice 2, répétez les exercices 1 et 2 puis lisez-les sans l'aide du support sonore.**
Imaginez d'autres variations du ton possibles pour le même texte en variant la ponctuation.

4 La carte postale. **Répétez.**

1. Un petit mot de vacances.
2. Plages de sable fin.
3. Il fait beau.
4. Je rentre lundi.
5. Mille pensées.

Georges Perec a imaginé un jeu consistant à écrire des cartes postales en respectant cinq contraintes dans *243 cartes postales en couleurs véritables, dans l'infra-ordinaire.* (*cf.* exercice d'écriture ci-dessous).

5 Vos coordonnées ?
À vous !

1. **A :** Nom ? **B :** _____
2. **A :** Prénom ? **B :** _____
3. **A :** Nationalité ? **B :** _____
4. **A :** Date de naissance ? **B :** _____
5. **A :** Lieu de naissance ? **B :** _____
6. **A :** Profession ? **B :** _____

6 Paris.

Exemple : *A : Paris est grand ?* *B : Très grand.*
À vous !

1. **A :** Paris est grand ? **B :** _____
2. **A :** C'est une belle ville ? **B :** _____
3. **A :** Il y a beaucoup de musées ? **B :** _____
4. **A :** Tu connais quelques hôtels ? **B :** _____
5. **A :** Tu aimerais bien y aller ? **B :** _____

L E C T U R E   **Sur le modèle de l'exercice 3, écrivez des cartes postales en tenant compte des cinq contraintes imaginées par Perec :** localisation (où), considérations (comment), satisfactions, mentions (remarques), salutations.

Exemple : *Nous campons près d'Ajaccio. Il fait très beau. On mange bien. J'ai pris un coup de soleil. Bons baisers.*

L E C T U R E   **Gérard Mordillat,** *Rue des Rigoles*

Je vais mourir, je le sens, je l'espère. Plus rien ne compte. Je n'entends rien, je ne vois rien, je dérive, je coule. Je vivais sans sommeil, je disparaissais sans regrets.

L'intonation déclarative – deux groupes rythmiques

L'imagination prend le pouvoir.

Slogan de mai 1968

1 **Écoutez le titre de cette unité et observez.**

L'imagination **prend le pouvoir.**

Deux groupes rythmiques, deux accents, deux variations du ton.

L'imagination : l'énoncé n'est pas fini, c'est une continuation, la voix monte un peu.

prend le pouvoir : l'énoncé est fini, la voix descend, la phrase se termine par un point.

Niveaux intonatifs

4 _____
3 _____
2 _____
1 _____

Une phrase déclarative formée de deux groupes rythmiques se caractérise par une montée de la voix sur le premier groupe suivie d'une descente sur le second. C'est l'inversion de pente mélodique (IPM)g.

2 **Recomposez** les slogans de mai 1968 **comme l'exemple. Indiquez les groupes rythmiques et les variations du ton.**

Exemple : *Il est interdit   d'interdire.*

1. Il est interdit   demandez l'impossible.
2. Prenez vos désirs   est terminée.
3. Soyez réalistes,   la plage.
4. Sous les pavés,   pour des réalités.
5. La récréation   d'interdire.

La phrase 5 a été prononcée par le Général de Gaulle le 30 mai 1968 pour signifier qu'il reprenait le pouvoir.

3   **Regardez le corrigé de l'exercice 2, puis lisez les phrases.**

4   La table de multiplication. **Répétez puis continuez la table de 9.**

1. Une fois neuf, neuf
2. Deux fois neuf, dix-huit.
3. Trois fois neuf, vingt-sept.

4. _____
5. _____

Le / t / est prononcé dans les composés de « vingt ».

5   Grandes dates de l'histoire de France. **Répétez.**

1. Couronnement de Charlemagne en l'an 800.
2. 1515, Marignan.
3. La Révolution de 1789.

4. L'armistice de 1918.
5. La guerre de 40.
6. Les événements de mai 68.

6   Il est bien, ton appartement ?

Appart. est la forme tronquée de « appartement ».

Exemple : **A : *Comment est la chambre, grande ?***   **B : *La chambre est plutôt grande.***
          À vous !

1. **A :** Comment elle est la chambre, grande ?   **B :** _____
2. **A :** Et le salon, il est confortable ?   **B :** _____
3. **A :** La cuisine est bien équipée ?   **B :** _____
4. **A :** Elle est bien conçue, la salle de bains ?   **B :** _____
5. **A :** Et il est cher, le loyer ?   **B :** _____
6. **A :** Tu es content quand même ?   **B :** _____

| L E C T U R E | **Jacques Darras, *Nommer Namur*** |

Parler c'est avec la voix.
Chanter c'est avec la voix.
Parler n'est pas chanter.
La voix peut chanter des paroles.
La voix ne peut pas parler la chanson.
La voix qui parle la chanson parle les paroles de la chanson.
Dans ce cas elle n'a plus besoin de la chanson.

22 — L'intonation déclarative – plusieurs groupes rythmiques

Appelez dès maintenant au 01 45 24 7000.

Émission de France Inter, « Le téléphone sonne »

1 **Écoutez le titre de cette unité et observez.**

Zéro un,   quarante-cinq,   vingt-quatre,   sept mille.

Plusieurs groupes rythmiques, autant d'accents, autant de groupes intonatifs, deux variations du ton. Les groupes sont séparés ou non par des virgules ; chaque virgule écrit une pause qui dépend du rythme de l'énoncé.

Zéro un,   quarante-cinq,   vingt-quatre, : l'énoncé n'est pas fini,
la voix monte un peu sur chaque continuation.

sept mille : l'énoncé est fini, la voix descend, la phrase se termine par un point.

Niveaux intonatifs

4 _____
3 _____
2 _____
1 _____

> Une phrase déclarative formée de nombreux groupes
> rythmiques énumératifs se caractérise
> par une montée de la voix sur tous les groupes
> suivie d'une descente sur le dernier groupe.

2   Au marché. **Écoutez et choisissez.** Exemple : *Je voudrais…*

	Exemple	1	2	3	4	5	6	7	8	9	10
Phrase inachevée	X										
Phrase finie											

3   **Regardez le corrigé de l'exercice 1, puis répétez les exercices 1 et 2 sans l'aide du support sonore.**

4   **Écoutez le texte de Roland Dubillard (*Les diablogues*), continuez à indiquer les groupes rythmiques et les variations du ton.**

UN : À ce moment-là, vous tombez dans la rue Boissy-d'Anglas, vous la prenez à droite, vous tombez dans la rue du Faubourg-Saint-Honoré, vous la prenez à gauche, vous tombez dans la rue Royale, vous la prenez à droite, vous tombez place de la Concorde, vous la traversez, et aussitôt traversé le pont, vous tombez dans le boulevard Saint-Germain que vous enfilez à gauche, ensuite de quoi vous finissez bien par tomber sur la rue du Bac, que vous prenez sur votre droite, et alors c'est là que vous tombez, euh, attendez un peu, vous tombez…

DEUX : Je tombe, quoi.

5   **Répétez le texte de l'exercice 4, puis lisez-le sans l'aide du support sonore.**

6   **Sur le modèle de l'exercice 4, expliquez comment aller chez vous.**

L E C T U R E   Messagerie vocale.
Complétez ce message enregistré, puis lisez-le.

Bonjour.
Vous êtes au…… (votre numéro de téléphone),
sur la messagerie vocale de…… (votre nom).
Laissez-moi un message et……
À bientôt.

L E C T U R E   **Patrice Delbourg, *Papier Mâché***
Depuis longtemps il rêvait de partager le cadastre des gens du voyage, de ces antipodistes canadiens talqués en escalopes de gala, de ces voltigeurs équestres bulgares dignes du cadre de Saumur, de ce couple argentin désargenté en cuir clouté qui joue ses lendemains à pile ou face, de ces frères mexicains bravant chaque soir la roue de la mort, de ces magiciens excentriques russes qui côtoient les précipices sous les feux de la rampe, de ces augustes suisses qui font revivre l'ombre du grand Grock, de tous ces magnifiques va-nu-pieds des arts de la piste.

23 L'intonation déclarative – le détachement initial

Ma chère, nous parlions de vous.

Paul Claudel, *L'échange*

1 **Écoutez le titre de cette unité et observez.**

Ma chère, ⟷ *nous parlions de vous.*

Deux groupes rythmiques, deux accents, deux variations du ton ; une virgule, possibilité d'une pause.

Ma chère,
Le premier groupe, suivi d'une virgule,
n'est pas la séquence principale ;
il peut être supprimé :
c'est un détachement initial.
L'énoncé n'est pas fini,
la voix monte un peu.

nous parlions de vous.
Ce groupe est la séquence principale ;
c'est le dernier groupe de l'énoncé,
l'énoncé est fini,
la voix descend.

Niveaux intonatifs

4 ―――――――――
3 ―――――――――
2 ―――――――――

Le détachement initial ne fait pas partie de la séquence principale de l'énoncé. Il en est séparé par une virgule. Un détachement initial d'une phrase déclarative se caractérise par une montée de la voix.

2 Choisissez, parmi ces détachements, ceux qui peuvent venir en détachement initial de la phrase :
................., on va aller au concert.

Exemple : *Ce soir, on va aller au concert*

1. Tu crois,…
2. Hier,…
3. Tous ensemble,…
4. Ton frère,…

5. Ton frère et moi,…
6. C'est sûr,…
7. Avec les copains,…
8. J'espère,…

	Exemple	1	2	3	4	5	6	7	8
Peut venir en détachement initial	X								
Ne peut pas venir détachement initial									

3 Regardez le corrigé de l'exercice 2, puis lisez les phrases correctes.

4 Sécurité routière. **Répétez.**

1. Sur cette route, il y a beaucoup de circulation.
2. Il y a dix ans, il y en avait moins.

3. L'année dernière, ils ont commencé des travaux.
4. À l'entrée de la ville, il y aura moins de bouchons.

5 Pas d'accord.

Exemple : **A :** *Le cours n'est pas intéressant du tout.*   **B :** *À mon avis, il est très intéressant.*
À vous !

1. **A :** Le cours n'est pas intéressant du tout.   **B :** _____
2. **A :** Ce n'est vraiment pas vivant.   **B :** _____
3. **A :** Le professeur ne traite pas le sujet.   **B :** _____
4. **A :** Les polycopiés ne sont pas bien faits.   **B :** _____
5. **A :** La bibliographie n'est pas complète.   **B :** _____

« Prof, poly, biblio » sont les formes tronquées de « professeur, polycopié, bibliographie ».

6 *Cyrano de Bergerac*, le film.

Exemple : **A :** *Tu as vu « Cyrano » ?*   **B :** *Cyrano, je l'ai vu.*
À vous !

1. **A :** Tu as vu « Cyrano » ?   **B :** _____
2. **A :** Tu avais lu la pièce de Rostand ?   **B :** _____
3. **A :** Tu connais Jean-Paul Rappeneau ?   **B :** _____
4. **A :** Tu aimes bien Gérard Depardieu ?   **B :** _____

L E C T U R E   **Eugène Ionesco,** *Le roi se meurt*
Majesté, vous avez fait cent quatre-vingts fois la guerre. À la tête de vos armées, vous avez participé à deux mille batailles. D'abord, sur un cheval blanc avec un panache rouge et blanc très voyant et vous n'avez pas eu peur. Ensuite, quand vous avez modernisé l'armée, debout sur un tank ou sur l'aile de l'avion de chasse en tête de la formation.

L E C T U R E   **Sully Prudhomme,** *Poésies*
Demain, j'irai demain voir ce pauvre chez lui,
Demain, je reprendrai le livre à peine ouvert,

Demain, je te dirai, mon âme, où je te mène,
Demain, je serai juste et fort… Pas aujourd'hui.

24

L'intonation déclarative –
le détachement interne

Ce que j'ai fait,
je le jure,
jamais aucune bête ne l'aurait fait.

Antoine de Saint-Exupéry

Cette phrase est attribuée par Saint-Exupéry à son collègue et ami, le pilote Guillaumet qui, après un accident d'avion dans les Andes, a trouvé la volonté nécessaire pour marcher jusqu'à ce qu'il soit sauvé.

1   **Écoutez le titre de cette unité et observez.**

Ce que j'ai fait,   je le jure,   jamais aucune bête   ne l'aurait fait.

Plusieurs groupes rythmiques, autant d'accents, autant de groupes intonatifs ; deux virgules, possibilité de pauses.

Ce que j'ai fait
ce groupe fait partie de la séquence principale, l'énoncé n'est pas fini, la voix monte un peu.

je le jure,
ce groupe entre virgules est inséré dans la séquence principale ; il peut être supprimé : c'est un détachement.
Il peut être séparé de la séquence principale par des pauses. La voix est au niveau le plus bas.

jamais aucune bête ne l'aurait fait.
ces deux groupes sont la reprise et la terminaison de la séquence principale. La voix monte un peu sur le premier groupe et descend sur le second (principe de l'IPM).

Niveaux intonatifs

4
3
2
1

Le détachement interne ne fait pas partie de la séquence principale. Il en est séparé par deux virgules. Il comporte une attaque au niveau grave et peut se terminer par une légère montée de la voix.

2 Écoutez et choisissez les phrases qui sont prononcées avec un détachement interne.

Exemple : *Il p**eut**,* ⬧ *lui,* ⬧ *faire plai**sir**.*

	Exemple	1	2	3	4	5
Prononcée avec détachement interne	X					
Prononcée sans détachement interne						

3 Regardez le corrigé de l'exercice 2, répétez les phrases puis lisez-les sans l'aide du support sonore.

4 Sports d'hiver. **Répétez.**

1. Ils sont partis, je crois, aux sports d'hiver.
2. La neige, paraît-il, est très bonne.
3. Mais le froid, franchement, m'aurait découragé.
4. Janvier, à mon avis, n'est pas la bonne saison.

5 Résultats scolaires.

Exemple : ***A :** Tu es nul en maths ? Et ton frère ?*   ***B :** Mon frère, lui, n'est pas nul.*
    À vous !

1. A : Tu es nul en maths ? Et ton frère ?   **B :** _____
2. A : Ma sœur est forte en dictée. Et la tienne ?   **B :** _____
3. A : Paul est mauvais en anglais. Et sa copine ?   **B :** _____
4. A : Les deux filles sont bonnes en gym.
    Et les garçons ?   **B :** _____

6 La presse française.

Libé(ration) est un quotidien du matin, *Le Monde* est un quotidien du soir, *Le Nouvel Obs(ervateur)* est un hebdomadaire et *Elle Décoration* est un mensuel.

Exemple : ***A : Tu lis Libération ?***   ***B :** Je lis, tous les matins, Libé.*
    À vous !

1. A : Tu lis Libé ?   **B :** _____
2. A : Tu achètes le Monde ?   **B :** _____
3. A : Tu regardes le Nouvel Observateur ?   **B :** _____
4. A : Tu survoles Elle Décoration.   **B :** _____

L E C T U R E   **Paul Valéry**

L'absurdité de notre orthographe, qui est, en vérité, une des fabrications les plus cocasses du monde, est bien connue.

L E C T U R E   **Serge Joncour,** *Situations délicates*

Elle n'a pas envie de dîner, après tout, tout le monde n'est pas obligé d'avoir faim… Elle, de son côté, t'aurait donné des nouvelles de la province, et puisqu'elle est toute fraîche diplômée, tu te serais en quelque sorte ressourcé à ses souvenirs d'études, et qui sait, à dîner avec elle, peut-être même que tu aurais rajeuni de quinze ans…

L'intonation déclarative – le détachement final

– Revenez, par Jupiter !
– Ils sont fous, ces Romains !
– C'est une nouvelle victoire pour toi, Ô César !

Goscinny et Uderzo

1 **Écoutez le titre de cette unité et observez.**

Ils sont fous, ces Romains !
Deux groupes rythmiques, deux accents, deux variations du ton ; une virgule, possibilité de pause.

Ils sont fous
le premier groupe est la séquence principale, c'est une assertion, la voix descend sur la dernière syllabe.

◆ ### *ces Romains*
ce groupe, précédé d'une virgule, n'est pas la séquence principale ; il peut être supprimé : c'est un détachement final. La voix monte légèrement (principe de l'IPM).

Niveaux intonatifs

```
4 _____
3 _____
2 ____◆_____
1 ↘_____↗_____
```

> Le détachement final ne fait pas partie de la séquence principale. Il en est séparé par une virgule.
> Le détachement final se caractérise par un ton grave et légèrement montant.

2 Écoutez et choisissez les phrases qui sont prononcées avec un détachement final. Exemple : *C'est bien, ça.*

	Exemple	1	2	3	4	5
Prononcé avec un détachement final	X					
Prononcé sans détachement final						

3 Regardez le corrigé de l'exercice 2, répétez les phrases puis lisez-les sans l'aide du support sonore.

4 Répétez le titre de l'unité.

5 Bizarre. **Répétez.**

1. Il déménage, en juillet.
2. Il a trouvé du boulot , à Lyon.
« Boulot » = « travail » en style familier.

3. Sa femme ne part pas, à cause des enfants.
4. C'est un peu bizarre, quand même !

6 C'est fini...

Exemple : *A : Ça s'est mal fini ?*
         À vous !

B : Ça s'est mal fini, je crois.

1. A : Ça s'est mal fini ?   **B :** _____
2. A : C'était très grave ?   **B :** _____
3. A : Elle était jeune ?   **B :** _____
4. A : Ils sont très tristes ?   **B :** _____

7 Repos hebdomadaire.

Exemple : *A : Je suis allé à la poste samedi.*
         À vous !

B : Mais... la poste est fermée, le samedi.

1. A : Je suis allé à la poste samedi.   **B :** _____
2. A : On va au Louvre mardi ?   **B :** _____
3. A : Tu m'accompagnes au Musée d'Orsay lundi ?   **B :** _____
4. A : Arrête-toi à la boulangerie aujourd'hui !   **B :** _____
5. A : On fait un saut aux Galeries dimanche ?   **B :** _____
Faire un saut = passer rapidement
« Galeries » = centre commercial ou grand magasin

L E C T U R E   **Jean Anouilh, *Antigone***

Créon - C'était un révolté et un traître, tu le savais. (...)
Antigone – Oui, je le savais.

L E C T U R E   **Sempé et Goscinny, *Les récrés du petit Nicolas***

« Récré » est la forme tronquée de « récréation ».

Il n'a pas eu de chance, Agnan : s'il n'avait pas enlevé ses lunettes, il ne l'aurait pas reçu, le coup de poing sur le nez.

L'intonation interrogative – l'interrogation totale sans opérateur

Et pour l'avenir, Lol ?
Tu n'imagines rien ?
Rien d'un peu différent ?

Marguerite Duras, *Le ravissement de Lol V. Stein*

 Écoutez le titre de cette unité et observez.

Tu n'imagines rien ?
Un seul groupe rythmique, un seul accent, une seule variation du ton.
L'énoncé se présente sous une forme d'une assertion et la voix monte beaucoup ; c'est une question, la phrase se termine par un point d'interrogation.

Une interrogation totale
met en jeu la totalité d'une proposition et appelle une réponse *oui / non*.

> Une interrogative totale se caractérise par une forte montée de la voix
> sur la dernière syllabe (celle qui porte l'accent).

2 Écoutez et choisissez. Exemple : *Dehors ?*

	Exemple	1	2	3	4	5	6	7	8
Interrogation	X								
Autre									

3 Regardez le corrigé de l'exercice 2, répétez les phrases puis lisez-les sans l'aide du support sonore.

4 Visite médicale. **Répétez.**

1. Vous vous sentez bien ?
2. Vous n'avez mal nulle part ?
3. Vous avez bon appétit ?

4. Vous dormez bien ?
5. Vous avez été arrêté récemment ?

On est « arrêté » quand on a un arrêt de travail pour maladie.

6. Alors tout va bien !

5 Tu la connais !

Exemple :

À vous !

A : Elle est brune. B : Ah bon ? Elle n'est pas blonde ?

1. **A** : Elle est brune.
2. **A** : Elle est petite.
3. **A** : Avec des cheveux longs.
4. **A** : Plutôt enveloppée.
5. **A** : Mais si, tu vois bien qui c'est…

B : _____
B : _____
B : _____
B : _____

E C R I T U R E

Conversation téléphonique. Vous n'entendez que les réponses de B.
Reconstituez les questions de A. Lisez la conversation en veillant aux variations du ton.

1. A : _____
2. A : _____
3. A : _____
4. A : _____

J'en ai marre = j'en ai assez

5. A : _____

B : Oui, je démissionne, c'est décidé.
B : Si, mon boulot me plaît bien…
B : Non, je n'ai encore rien trouvé.
B : Oui, j'en ai vraiment marre !

B : Ah oui ! L'ambiance est pourrie !

L E C T U R E

Jean-Paul Sartre, *Huis-clos*

GARCIN : Et dehors ?
LE GARÇON : Dehors ?
GARCIN : Dehors ! De l'autre côté de ces murs ?
LE GARÇON : Il y a un couloir.
GARCIN : Et au bout de ce couloir ?
LE GARÇON : Il y a d'autres chambres et d'autres couloirs et des escaliers.
GARCIN : Et puis ?
LE GARÇON : C'est tout.

L'intonation interrogative – l'interrogation totale avec opérateur

Connais-tu la douceur des larmes d'un enfant ?
Connais-tu la douceur des jeunes filles
qui regardent le printemps dans le miroir ?

Tahar Ben Jelloun

1 Écoutez et comparez la variation du ton des phrases 1 et 2 à celle des phrases 3 et 4.

1. *Connaissez-vous cet homme ?*

2. *Est-ce que vous connaissez cet homme ?*
La voix monte beaucoup à la fin de la phrase.
C'est une vraie question.

3. *Connaissez-vous cet homme ?*

4. *Est-ce que vous connaissez cet homme ?*
La voix monte beaucoup sur l'opérateur
interrogatif puis descend sur la fin de la phrase
(principe de l'IPM).
Ce n'est pas une vraie question.

Niveaux intonatifs
phrases 1 et 2

4
3
2
1

> Une interrogation totale
> avec opérateur interrogatif peut se caractériser
> par une forte montée
> de la voix sur la dernière syllabe.

ou

Niveaux intonatifs
phrases 3 et 4

4
3
2
1

> Une interrogation totale
> avec opérateur interrogatif peut
> alternativement se caractériser
> par une montée sur l'opérateur
> (inversion ou *est-ce que*)
> et une descente à la fin.

2 **Écoutez et choisissez.** Exemple : *Êtes-vous satisfait ?*

	Exemple	**1**	**2**	**3**	**4**	**5**
Vraie question						
Réponse présupposée	X					

3 **Regardez le corrigé de l'exercice 2, répétez les phrases puis lisez-les sans l'aide du support sonore.**

4 Gentil, pas gentil ? **Répétez.**

1. Peux-tu m'emmener ?
2. Peux-tu m'emmener ?
3. Pouvez-vous venir ?
4. Pouvez-vous venir ?

5. Est-ce que tu n'as pas bientôt fini ?
6. Est-ce que tu n'as pas bientôt fini ?
7. Est-ce que vous n'avez pas froid ?
8. Est-ce que vous n'avez pas froid ?

5 Fais-le ! **Répétez.**

1. As-tu pensé à commander le gâteau ?
2. Est-ce que tu vas aller chez le pâtissier ?
3. Est-ce que tu t'arrêteras chez le fleuriste ?
4. Est-ce que tu te rappelles que c'est mon anniversaire ?

6 Est-ce que c'est vrai ?

Exemple : **A : *Il dit qu'il est malade.***   *B : Est-ce qu'il est vraiment malade ?*
       À vous !

1. A : Il dit qu'il est malade.   **B :** _____
2. A : Il dit qu'il ne tient pas debout.   **B :** _____
3. A : Il dit qu'il a mal partout.   **B :** _____
4. A : Il dit qu'il a la crève .   **B :** _____
     avoir la crève = avoir la grippe

5. A : Il dit qu'il va voir le médecin.   **B :** _____

L E C T U R E   **Georges Perec, *Espèces d'espaces***

Qu'est-ce que s'approprier un lieu ? À partir de quand un lieu devient-il vraiment vôtre ? Est-ce quand on a mis à tremper ses trois paires de chaussettes dans une bassine de matière plastique rose ? Est-ce quand on s'est fait réchauffer des spaghettis au-dessus d'un camping-gaz ? Est-ce quand on a utilisé tous les cintres dépareillés de l'armoire-penderie ? Est-ce quand on a punaisé au mur une vieille carte postale représentant le Singe de Sainte Ursule de Carpaccio ? Est-ce quand on y a éprouvé les affres de l'attente, ou les exaltations de la passion, ou les tourments de la rage de dents ? Est-ce quand on a tendu les fenêtres de rideaux à sa convenance, et posé les papiers peints, et poncé les parquets ?

L'intonation interrogative – l'interrogation partielle avec opérateur interrogatif

Qu'est-ce que signifie « apprivoiser » ?

Antoine de Saint-Exupéry, *Le Petit Prince*

1   **Écoutez et comparez la variation du ton des phrases 1 et 2 à celle des phrases 3 et 4.**

1. _Qu'est-ce que signifie « apprivoiser » ?_

2. _Où habitez-vous ?_
La voix monte beaucoup à la fin.

Ce sont de vraies questions, le locuteur est intéressé à connaître la réponse.

3. _Qu'est-ce que signifie « apprivoiser »_

4. _Où habitez-vous ?_
La voix est plus haute sur l'opérateur interrogatif et descend à la fin de l'énoncé. C'est le principe de l'IPM.
Ce sont des questions dont le locuteur présuppose la réponse ou dont la réponse ne l'intéresse pas.

Niveaux intonatifs
phrases 1 et 2

> Une interrogation partielle avec opérateur peut se caractériser par une forte montée de la voix sur la dernière syllabe.

ou

Niveaux intonatifs
phrases 3 et 4

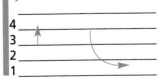

> Une interrogation partielle avec opérateur peut se caractériser, lorsque c'est une question de pure forme, par une montée sur l'opérateur et une descente à la fin.

E X E R C I C E S

2 **Écoutez et choisissez.** Exemple : *Qu'en pensez-vous ?* ↗

	Exemple	**1**	**2**	**3**	**4**	**5**	**6**	**7**	**8**
Vraie question	X								
Question de pure forme									

3 **Regardez le corrigé de l'exercice 2, répétez les phrases puis lisez-les sans l'aide du support sonore.**

4 **Soyons polis ! Répétez.**

1. A : Comment allez-vous ?   **B :** Très bien, merci, et vous ?
2. A : Comment allez-vous ?   **B :** Ça va mieux, je vous remercie.

La question « Comment allez-vous » est figée et la liaison avec l'adverbe interrogatif est obligatoire.

3. A : Comment ça va ?   **B :** Très bien, merci, et toi ?
4. A : Comment ça va ?   **B :** Bof… Ça pourrait aller mieux…

Bof = interjection qui exprime la lassitude

5 **Mon chien s'est sauvé.**

Exemple : **A : *Pourquoi s'est-il sauvé ?***   **B : *Oui, pourquoi ?***
          À vous !

1. A : Pourquoi s'est-il sauvé ?   **B :** _____
2. A : Comment se fait-il que je n'ai rien vu ?   **B :** _____
3. A : Quand a-t-il pu partir ?   **B :** _____
4. A : Où aller le chercher ?   **B :** _____
5. A : Combien de voisins prévenir ?   **B :** _____
6. A : Quand le reverrai-je ?   **B :** _____

6 **Pardon, pouvez-vous répéter ?**

Exemple : **A : *J'ai trente-cinq ans.***   **B : *Pardon ? Quel âge avez-vous ?***
          À vous !

1. A : J'ai trente-cinq ans.   **B :** _____
2. A : Je viens de Colombie.   **B :** _____
3. A : Je suis ici depuis un an.   **B :** _____
4. A : Je repars l'année prochaine.   **B :** _____
5. A : Je travaille pour un journal.   **B :** _____

L E C T U R E   **Georges Memmi, *Pour tout dire***

Mais d'où venaient-ils, ces centaines, ces milliers de livres de tous les formats, de toutes les confidences ? De combien d'heures oubliées dans des librairies encombrées étaient-ils les butins complices ? De combien de promenades impatiences ont-ils été les compagnons ? Combien de nuits, combien de jours ont-ils été dévorés par ces amis voraces ?

L E C T U R E   **Mme de Sévigné, *Lettres***

Je me trouve dans un engagement qui m'embarrasse : je suis embarquée dans la vie sans mon consentement ; il faut que j'en sorte, cela m'assomme ; et comment en sortirai-je ? par où ? par quelle porte ? quand sera-ce ? en quelle disposition ? Souffrirai-je mille et mille douleurs, qui me feront mourir désespérée ? aurai-je un transport au cerveau ? mourrai-je d'un accident ? Comment serai-je avec Dieu ? qu'aurai-je à lui présenter ?

L'intonation interrogative avec détachement initial

Dis, quand reviendras-tu ?

Barbara (chanson)

1 **Écoutez et comparez les phrases 1 et 2 avec détachement initial.**

Le premier groupe peut être supprimé ; c'est un détachement. Le détachement est séparé de la question par une virgule.

1. _Dis,_ ◆ **_quand reviendras-tu ?_**

La voix monte un peu sur le détachement, elle descend sur la question. C'est le principe de l'IPM.
Les deux éléments de la phrase peuvent être séparés par une pause.

2. _Dis,_ ◆ **_quand reviendras-tu ?_**

La voix descend sur le détachement, elle monte sur la question. C'est le principe de l'IPM.
Les deux éléments de la phrase peuvent être séparés par une pause.

Niveaux intonatifs
phrase 1

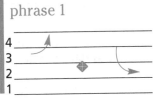

> Un détachement initial dans une phrase interrogative
> peut se caractériser par une descente
> sur le détachement et une montée sur la question.

ou

Niveaux intonatifs
phrase 2

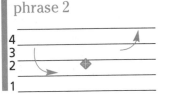

> Un détachement initial dans une phrase interrogative
> peut se caractériser par une montée
> sur le détachement et une descente sur la question.

2   **Écoutez et indiquez la ponctuation.** Exemple : *Dis-moi, quand ?*

1. Dis-moi quand

2. Dis-moi pourquoi

3. S'il fait beau elle viendra

4. S'il fait beau elle viendra

5. S'il fait beau elle viendra

3   **Regardez les corrigés de l'exercice 2, répétez les phrases puis lisez-les sans l'aide du support sonore.**

4   La pub à la télé. **Répétez.**

La question est construite comme une phrase affirmative avec l'opérateur interrogatif à la fin.
Cette forme de question est très fréquente en style familier en raison de sa simplicité syntaxique.

1. Cette publicité, tu l'as vue où ?

« pub » est la forme tronquée de « publicité »

2. À la télé, c'était à quelle heure ?

3. La bande-son, elle était comment ?

4. Le truc, c'était quoi ?

« Truc » = chose sans intérêt qu'on ne se donne pas la peine de spécifier, en style familier

5   Si tu avais le choix…

Exemple : **A** : Il faut que je téléphone à ma mère.
         À vous !

B : Si tu avais le choix, est-ce que tu lui téléphonerais ?

1. A : Il faut que je téléphone à ma mère.   **B** : _____

2. A : Il faut que l'invite à dîner.   **B** : _____

3. A : Il faut que je l'emmène à l'aéroport.   **B** : _____

4. A : Il faut que j'arrose ses fleurs.   **B** : _____

5. A : Il faut que je m'occupe de son chat.   **B** : _____

6   Attends, je demande !…

Exemple : **A** : *Quand partez-vous ?*
         À vous !

B : Dis, on part quand ?

1. A : Quand partez-vous ?   **B** : _____

2. A : Où allez-vous ?   **B** : _____

3. A : Comment y allez-vous ?   **B** : _____

4. A : Avec quelle agence voyagez-vous ?   **B** : _____

| L E C T U R E |

Georges Perec, *Espèces d'espaces*

Habiter une chambre, qu'est-ce que c'est ? Habiter un lieu, est-ce se l'approprier ?

| L E C T U R E |

Thierry Jonquet, *Mon vieux*

– Ton vieux, il t'a bien abandonné ? Mais ton père, tu portes bien son nom ? Colmont, c'est pas celui de ta mère ?

– Évidemment, il m'a reconnu à la mairie, mais pas plus ! Il a foutu le camp un beau jour, et basta !

– Et la maltraitance, il y a peut-être des traces, des témoignages possibles ? suggéra Hervé.

L'intonation interrogative avec détachement final

D'où est-ce que ça sort,
cette idée-là ?

Jean-Luc Lagarce, *Pays lointain*

1   **Écoutez et comparez les phrases 1 et 2.**

La formule de politesse peut être supprimée ; c'est un détachement. Le détachement est séparé de la question par une virgule.

1. *Je vous dois combien, s'il vous plaît ?*

La voix monte sur la question et le détachement reste dans le même niveau intonatif.
Les deux éléments de la phrase peuvent être séparés par une pause.

2. *Je vous dois combien, s'il vous plaît ?*

La voix descend sur la question et elle est légèrement montante sur le détachement qui reste dans le même intonatif.
Les deux éléments de la phrase peuvent être séparés par une pause

Niveaux intonatifs
phrase 1

4
3   ◆
2
1

> Un détachement final dans une phrase interrogative peut se caractériser par une forte montée sur la question, suivie d'une légère montée sur le détachement.

Niveaux intonatifs
phrase 2

4
3
2   ◆
1

ou

> Un détachement final dans une phrase interrogative peut se caractériser par une descente sur la question, suivie d'une légère montée sur le détachement.

2   **Choisissez, parmi ces détachements, ceux qui peuvent convenir en détachement final de la phrase.** Exemple : *Pas beaucoup, non ?*

	Peut convenir	Ne peut pas convenir
Exemple :	X	
1. Beaucoup, oui ?		
2. Pas beaucoup, si ?		
3. Beaucoup, non ?		
4. Pas beaucoup, oui ?		
5. Beaucoup, si ?		

3   **Regardez le corrigé de l'exercice 2 puis lisez les phrases grammaticalement possibles sans l'aide du support sonore.**

4   Travaux de peinture. **Répétez.**

1. Quand est-ce que les travaux commencent, demain ?   **3.** Quelle couleur vous avez choisie, du blanc ?

2. Qui faites-vous travailler, un artisan ?   **4.** Ça va durer combien de temps, une semaine ?

5   Dialogue de sourds.

Exemple :   *A : Je connais Pierre, votre collègue.*   *B : Qui, dites-vous ?*

         À vous !

1. A : Je connais Pierre, votre collègue.   **B :** _____

2. A : Je le vois demain soir.   **B :** _____

3. A : On sera quatre.   **B :** _____

4. A : On se retrouve au restaurant.   **B :** _____

5. A : On va parler de notre projet.   **B :** _____

6   Non, tu es d'accord ?

Exemple : *A : Ça s'utilise beaucoup ?*   *B : Pas beaucoup, hein ?*

                                      hein = renforce pour l'interrogation

         À vous !

1. A : Ça s'utilise beaucoup ?   **B :** _____

2. A : Ça se fait souvent ?   **B :** _____

3. A : Ça s'entend fréquemment ?   **B :** _____

4. A : Ça se dit vraiment ?   **B :** _____

   L E C T U R E   **Hervé Le Tellier,** *Sonates de bar*

« Et vous savez comment ça s'appelle, Rose ? » « Non », j'ai répondu. Archi a plissé les yeux, on aurait dit un gros chat : « Ça s'appelle Rose. Délicat, non ? »

   L E C T U R E   **Jean Giono,** *Colline*

« Tu vois rien, là, sous la chaise ?

« Rien que de l'air ?

« Tu crois que c'est vide, l'air ?

« Alors, comme ça, tu crois que l'air c'est tout vide ?

« [...] Tu crois que la maison c'est la maison et pas plus ? La colline, une colline et pas plus ?

L'intonation interrogative – la question alternative et la question elliptique

Comment la télévision vulgarise l'histoire : archives ou spectacle ?

Epok (Magazine de la Fnac)

1 **Écoutez le titre de cette unité et observez.**

Archives ou spectacle ?

Cette phrase comporte deux questions :

1. *La télévision vulgarise-t-elle l'histoire comme archives ?*
2. *La télévision vulgarise-t-elle l'histoire comme spectacle ?*

La voix monte beaucoup sur première question et descend sur la seconde.

C'est le principe de l'inversion de pente mélodique (IPM).

Archives ou spectacle ?

Niveaux intonatifs

4
3
2
1

> La question alternative (disjonction interrogative)
> se caractérise par une forte montée sur le premier
> élément et une descente sur le second.

2   **Écoutez et choisissez.** Exemple : Il est français ou il est belge ?

	Exemple	1	2	3	4	5
Interrogation	X					
Autre						

3   **Regardez le corrigé de l'exercice 2, répétez les phrases puis lisez-les sans l'aide du support sonore.**

4   **Quelle couleur ? Répétez.**

1. C'est marron ou c'est bordeaux ?
2. Tu aimes le vert ou tu préfères le bleu ?
3. Je le prends en beige ou en noir ?
4. Vous l'avez en rose fuschia ou en rose pâle ?

5   **À l'agence de voyages.**

Exemple : **A : Le Mexique… le Pérou…**
         À vous !
         B : Alors, le Mexique ou le Pérou ?

1. **A :** Le Mexique… le Pérou…   **B :** _____
2. **A :** En janvier… en avril…   **B :** _____
3. **A :** En individuel… en collectif…   **B :** _____
4. **A :** En classe affaires… en classe touriste…   **B :** _____
5. **A :** Sur Air France… avec un charter…   **B :** _____

6   **Après un accident. Répétez.**

Dans un style plus familier, on entend souvent des questions elliptiques

1. **A :** Et ta voiture ?   2. **B :** Quoi, ma voiture ?
3. **A :** Elle est abîmée ou pas ?   4. **B :** Qu'est-ce que tu crois ?
5. **A :** Et ta fille ?   6. **B :** Qu'est-ce qu'elle a, ma fille ?
7. **A :** Elle était avec toi ou pas ?   8. **B :** Ça t'intéresse ?

7   **Pourquoi ? Répétez.**

1. **A :** Vous venez avec moi ?   2. **B :** Pourquoi ?
3. **A :** Pourquoi pas ?   4. **B :** Pourquoi moi ?
5. **A :** Pourquoi pas vous ?   6. **B :** Oui, pourquoi pas ?

L E C T U R E   **Raymond Queneau, *Bâtons, chiffres et lettres***

J'y ajouterai quelques exemples relevés dans la conversation courante par le signataire de ces lignes : « *Tu y as été toi, en Espagne l'été ?* » ou « *T'as déjà roulé toi, la nuit dans le brouillard sur une route défoncée ?* » ou « *Il l'avait déjà gagné le Tour de France l'année dernière Bobet ?* »

L E C T U R E   **Charles Baudelaire**

Dis-moi, ton cœur, parfois, s'envole-t-il, Agathe, […] ?

32 L'intonation impérative – le mode impératif

> Arrêtez !!
> C'est un ordre !
>
> Goscinny et Uderzo, *le Grand Fossé*

1 **Écoutez le titre de cette unité et observez.**

1. *Arrêtez !!*
Un groupe rythmique, un accent, une variation du ton.
L'énoncé a une forme impérative et la voix descend fortement.
C'est un ordre, la phrase se termine par un point d'exclamation.

2. *C'est un ordre !*
Un groupe rythmique, un accent, une variation du ton.
L'énoncé a une forme déclarative et la voix descend fortement.
C'est un ordre, la phrase se termine par un point d'exclamation.

L'intonation impérative
est utilisée pour dire à quelqu'un de faire quelque chose, exprimer une nécessité,
ou pour mettre en garde.

> La phrase impérative se caractérise par une forte descente
> sur la dernière syllabe (celle qui porte l'accent).

2 Écoutez et choisissez. Exemple : *Partons vite* !

	Exemple	1	2	3	4	5	6	7	8
Ordre	X								
Autre									

3 Regardez le corrigé de l'exercice 2, répétez les phrases puis lisez-les sans l'aide du support sonore.

4 Conjuguons ! **Répétez.**

1. Entre !
2. Assieds-toi !
3. Commande !

4. Buvons !
5. Mangez !
6. Qu'ils paient !

5 Tout de suite !

Exemple : *A : Je n'ai pas envie de faire mes devoirs…* *B : Fais-les ! Tout de suite !*
         À vous !

1. **A :** Je n'ai pas envie de faire mes devoirs…   **B :** _____

2. **A :** Je ne veux pas étudier les verbes
   irréguliers…   **B :** _____

3. **A :** Il faudrait que je lise ce poème…   **B :** _____

4. **A :** Je suis trop fatiguée pour apprendre
   mes leçons…   **B :** _____

6 Qu'il aille au diable !

Exemple : *A : Monsieur Dupont attend.*   *B : Qu'il attende !*
         À vous !

1. **A :** Monsieur Dupont attend.   **B :** _____
2. **A :** Il s'impatiente.   **B :** _____
3. **A :** Il va partir !   **B :** _____
4. **A :** Il veut vraiment entrer.   **B :** _____

L E C T U R E   **Victor Hugo, *Les Châtiments***

Qu'il y reste à jamais ! qu'à jamais il y dorme !
Que ce vil souvenir soit à jamais détruit !
Qu'il se dissolve là ! Qu'il y devienne informe

L E C T U R E   **Jean Cocteau, *La machine infernale***

Regarde où tu mets tes pieds ! Avance ! Ne regarde pas derrière toi ! Laisse ta
sœur ! Avance… Prends garde !

L'obligation – l'injonction

Stop aux offres gratuites !
Halte aux numéros surtaxés…
Haro sur le revolving !
Oublions de payer…

Que Choisir (Magazine)

1 **Écoutez le titre de cette unité et observez.**

Stop ~~_aux offres gratuites !_~~

Deux groupes rythmiques, deux accents, deux variations du ton. La voix monte beaucoup sur le premier groupe et descend fortement sur le second. C'est le principe de l'inversion de pente mélodique (IPM).

Niveaux intonatifs

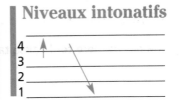

> La phrase impérative se caractérise
> par une forte montée sur l'injonction impérative
> et une forte descente à la fin.

E X E R C I C E S

2 **Indiquez les groupes rythmiques et les variations du ton.**

Exemple : *Halte* ↑ *aux numéros surtaxés* ↓ !

1. Il faut que tous les Français aient accès à l'Internet haut débit !
2. Une obligation : que votre quartier soit équipé !
3. Il faut continuer dans ce sens !
4. Les situations injustes doivent se résorber !
5. Contactez votre mairie !

3 **Regardez le corrigé de l'exercice 2 puis lisez les phrases.**

4 **Fin de parcours. Répétez.**

1. Attention !
2. La voiture !
3. À droite !

4. Plus vite !
5. La police !
6. Vos papiers !

5 **Il faut que tu prépares tes vacances ! Répétez.**

1. Tu achèteras ton billet à l'avance !
2. Pense à prévenir les voisins !
3. Quelqu'un doit arroser tes plantes !

4. Il faut réserver un taxi !
5. N'oublie pas de m'écrire !

6 **Ton patron vient dîner...**

Exemple : ***A :*** *Champagne ou mousseux ?*   ***B :*** *Champagne !*
           À vous !

1. A : Champagne ou mousseux ?
2. A : Crevettes ou langoustines ?
3. A : Turbot ou maquereau ?
4. A : Frites ou pommes dauphine ?
5. A : Vacherin ou vache qui rit ?
6. A : Pommes au four ou tarte Tatin ?

B : _____
B : _____
B : _____
B : _____
B : _____
B : _____

L E C T U R E   **Les 10 commandements de l'étudiant en français**

1. Le français seulement tu parleras
2. Ton professeur toujours tu écouteras
3. Les conjugaisons régulièrement tu réviseras
4. Ton vocabulaire souvent tu actualiseras
5. La grammaire sérieusement tu apprendras
6. La phonétique jamais tu ne négligeras
7. Des chansons, pourquoi pas, tu écouteras
8. La littérature fréquemment tu pratiqueras
9. L'argot soigneusement tu éviteras
10. En français, un jour, tu rêveras...

L E C T U R E   **Georges Friley,** *Le marteau de beurre*

Bois !
Buvons !
Payez !

L'intonation impérative – le détachement

Parlez-moi, je vous prie,
avec sincérité.

Molière

1 **Écoutez le titre de cette unité et observez.**

Trois groupes rythmiques, trois accents, trois variations du ton.
À chaque virgule peut correspondre une pause.
La voix descend fortement sur la phrase impérative.

1. *Parlez-moi, je vous prie, avec sincérité.*   Détachement interne (cf. leçon 24).

2. *Je vous en prie, parlez-moi avec sincérité.*   Détachement initial (cf. leçon 23).

3. *Parlez-moi avec sincérité, je vous prie.*   Détachement final (cf. leçon 25).

Les détachements peuvent être séparés de la séquence principale par des pauses ;
la voix est au niveau le plus bas et peut monter légèrement.

> ## La phrase impérative
> se caractérise par une pente nettement descendante.

> Les détachements ne font pas partie de la séquence principale
> dont ils sont séparés par une ou deux virgules.
> Ils comportent une attaque au niveau grave et les détachements
> les plus longs peuvent se terminer par une légère montée de la voix.

E X E R C I C E S

2 **Écoutez et choisissez.** Exemple : *Le pain, s'il te plaît !*

	Exemple	1	2	3	4	5
Ordre	X					
Demande						

3 **Regardez le corrigé de l'exercice 2, répétez les phrases des exercices 1 et 2 puis lisez-les sans l'aide du support sonore.**

4 **Au bureau. Répétez.**

1. Choisissez vos dates de vacances, s'il vous plaît ! **4.** Fais-moi cette photocopie, s'il te plaît !
2. Veuillez choisir, s'il vous plaît, vos dates de vacances ! **5.** S'il te plaît, fais-moi cette photocopie !
3. S'il vous plaît, choisissez vos dates de vacances !

5 **N'attends pas trop !**

Exemple : ***A : Maintenant ?*** ***B : Maintenant, si possible.***
À vous !

1. A : Maintenant ? **B :** _____
2. A : Bientôt ? **B :** _____
3. A : Demain ? **B :** _____
4. A : Samedi ? **B :** _____

6 **Il faut que tu y ailles…**

Exemple : ***A : Je n'ai pas envie de me lever !*** ***B : S'il te plaît, il faut que tu te lèves !***
À vous !

1. A : Je n'ai pas envie de me lever ! **B :** _____
2. A : Je ne veux pas petit-déjeuner ! **B :** _____
3. A : Je me suis douché hier… **B :** _____
4. A : J'y vais habillé comme ça ? **B :** _____
5. A : Je dois vraiment m'en aller ? **B :** _____

L E C T U R E

Anna Gavalda, *Ensemble, c'est tout.*

– Restez pas là, je vous dis !
– Hé, calme-toi, lui répondit-elle, te mets pas dans des états pareils…
– Laisse-moi faire mon travail, la grosse ! Je viens pas te dire comment tenir ton balai, moi !
– […]
– Rasez-moi, demanda-t-elle au jeune homme qui se trouvait au-dessus d'elle dans le miroir.
– Pardon ?
– Je voudrais que vous me rasiez la tête, s'il vous plaît. […] Prenez votre tondeuse et allez-y.

LECTURE 1

Jean Tardieu, *Le fleuve caché*

Comment ça va sur la terre ?
– Ça va ça va, ça va bien.

Les petits chiens sont-ils prospères ?
– Mon Dieu oui merci bien.

Et les nuages ?
– Ça flotte.

Et les volcans ?
– Ça mijote.

Et les fleuves ?
– Ça s'écoule.

Et le temps ?
– Ça se déroule.

Et votre âme ?
– Elle est malade
le printemps était trop vert
elle a mangé trop de salade.

LECTURE 2

Sempé, Goscinny, *Les récrés du petit Nicolas*

– Nicolas, tu es insupportable ! Éteins cette lampe et dors ! Ou alors, tiens, donne-moi la lampe, je te la rendrai demain matin.
– Oh ! non… oh ! non, j'ai crié.
– Qu'il la garde, sa lampe ! a crié Papa, et qu'on ait un peu de paix dans cette maison.

LECTURE 3

Jean-Marie Le Clézio, *L'Extase matérielle*

Plutôt que de dire d'un homme qu'il est cultivé, je voudrais qu'on me dise : c'est un homme. Et je suis tenté de demander :
Combien de femmes a-t-il aimées ? Préfère-t-il les femmes rousses ou les femmes brunes ? Que mange-t-il au repas de midi ? Quelles maladies a-t-il eues ? Est-il sujet aux grippes, à l'asthme aux furoncles, à la constipation ? Quelle est la couleur de ses cheveux ? De sa peau ? Comment marche-t-il ? Se baigne-t-il, ou prend-il des douches ? Quels journaux lit-il ? Dort-il facilement ? Est-ce qu'il rêve ? Est-ce qu'il aime les yaourts ? Qui est sa mère ? Dans quelle maison, quel quartier, quelle chambre vit-il ? Aime-t-il avoir un traversin, un oreiller, les deux, ou ni l'un ni l'autre ? Est-ce qu'il fume ? Comment parle-t-il ? Quelles sont ses manies ? Si on l'insulte, comment réagit-il ? Est-ce qu'il aime le soleil ? La mer ? Est-ce qu'il parle seul ? Quels sont ses vices, ses désirs, ses opinions politiques ? Aime-t-il voyager ? Si un vendeur de camelote sonne à l'improviste chez lui, que fait-il ? Au café, au restaurant, que commande-t-il ? Est-ce qu'il aime le cinéma ? Comment s'habille-t-il ? Quels noms a-t-il donnés à ses enfants ? Quelle est sa taille ? Son poids ? Sa tension ? Son groupe sanguin ? Comment se coiffe-t-il ? Combien de temps met-il à se laver le matin ? Est-ce qu'il aime se regarder dans une glace ? Comment écrit-il les lettres ? Qui sont ses voisins, ses amis ? Tout cela est bien plus important que la prétendue « culture » ; les objets quotidiens, les gestes, les visages des autres influent plus sur nous que les lectures ou les musées.

Troisième partie

L'expression des émotions

L'insistance – l'accent affectif

C'est une écriture qu'il nous faut,
une *écriture* !
Je veux entendre sa *voix* !

Daniel Pennac, *Des chrétiens et des Maures*

1 **Écoutez le titre de cette unité et observez.** Le locuteur veut insister sur deux mots : *écriture* et *voix*.

Insistance (mise en relief) : procédé qui met en relief une distinction entre deux mots ou éléments de mots.
Exemple : *Il faut <u>exporter</u> d'avantage.* (*Exporter* s'oppose à *importer*)

Accent affectif : procédé qui met en valeur un sentiment du locuteur. L'accent affectif porte souvent sur les adverbes
Exemple : *Il est* toujours *malade !*

L'insistance et l'accent affectif se réalisent de la même façon

> Si le mot sur lequel on insiste commence par une voyelle, on peut ne pas faire d'enchaînement vocalique et produire un coup de glotte.
> La première syllabe du mot sur lequel on insiste est plus haute et plus forte, ou la dernière syllabe du mot sur lequel on insiste est plus longue.

2 **Écoutez les phrases et soulignez le mot qui est mis en relief.**

Exemple : <u>*Un*</u> *verre de bourgogne.*

1. Un verre de bourgogne.
2. Un verre de bourgogne.
3. Envoyez-moi ce dossier demain.
4. Envoyez-moi ce dossier demain.
5. Envoyez-moi ce dossier demain.

3 Regardez le corrigé de l'exercice 2, répétez les phrases puis lisez-les sans l'aide du support sonore.

4 Le coup de glotte. **Répétez.**

1. Enfin !
2. Attention !
3. Incroyable !
4. Extraordinaire !

5 Bon à rien ! **Répétez.**

1. Vous êtes <u>toujours</u> en retard !
2. Votre travail est <u>bâclé</u> !
3. Votre cas est <u>désespéré</u> !
4. Vous n'êtes qu'un <u>imbécile</u> !

6 Non, c'est le contraire !

À vous ! Tous les contraires ne sont pas précédés du même préfixe.

Exemple : **A** : *Il veut exporter ?*　　　　　　　**B** : *Non, importer !*

1. **A** : Il veut exporter ?　　　　　　**B** : _____
2. **A** : Vous l'avez surévalué ?　　　　**B** : _____
3. **A** : Ils vont débaucher ?　　　　　　**B** : _____
4. **A** : Il écrit une postface ?　　　　　**B** : _____
5. **A** : Tu le trouves malveillant ?　　　**B** : _____
6. **A** : Je me déconnecte ?　　　　　　**B** : _____

7 Ça va faire mal ?

Exemple : **A** : *Vous devez faire des analyses.*　　**B** : *Des analyses ?*

1. **A** : Vous devez faire des analyses.　　　　　**B** : _____
2. **A** : Présentez-vous au laboratoire !　　　　　**B** : _____
3. **A** : Venez à jeun !　　　　　　　　　　　　**B** : _____
4. **A** : On vous fera une prise de sang.　　　　　**B** : _____
5. **A** : Vous aurez les résultats dans une semaine.　**B** : _____

LECTURE

Cavanna, *Bête et méchant*

– Surtout, tu t'étouffes la per-son-na-li-té. [...] La personnalité, tu l'as ou tu l'as pas. Mais tu sais, le talent, les idées, en admettant... Des tas de jeunes en ont. Ce qu'il faut, c'est la té-na-ci-té. S'accrocher comme un morpion. Ne pas être marié, surtout. Tu es marié ? Non ? Bon. C'est déjà ça.

36 L'appel

Bathilde !
Viens donc empêcher ton mari
de boire du cognac !

Marcel Proust, *À la recherche du temps perdu*

1 **Écoutez le titre de cette unité et observez.** Le locuteur appelle trois fois ; la troisième fois, son intonation suggère une inquiétude.

> Le débit du locuteur et le schéma intonatif de base sont modifiés dans la situation d'appel : le rythme est souvent transformé par des accents d'insistance à différents points de la phrase ; la voix traverse un plus grand nombre de registres selon des schémas musicaux récurrents.

▌**Appel** : paroles utilisées pour faire venir à soi ou attirer l'attention de quelqu'un.

Structures syntaxiques : l'appel se présente souvent sous forme de « mots phrases » exclamatifs.

▌**Niveaux intonatifs**

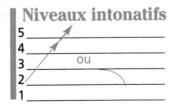

> L'expression de l'appel est caractérisée par une voix forte et une intonation montante avec allongement de la voyelle finale, une intonation descendante suspensive, avec des voyelles très allongées. La montée au registre suraigu indique une perte de contrôle de soi.

2 **Répétez les interjections et expressions qui peuvent exprimer l'appel.**

1. Hep ! Taxi !   **2.** Psitt !   **3.** Hou-hou !   **4.** Hé ! Toi !   **5.** Garçon ! Eh vous, oui, vous !

3 Écoutez et choisissez.

Exemple : *Monsieur !*

	Exemple	1	2	3	4	5
Appel	X					
Autre						

4 Regardez le corrigé de l'exercice 3, puis répétez les mots.

5 Attention ! **Répétez.**

1. Hep ! Votre écharpe !

2. Hou hou ! Ta carte bleue !

3. Madame ! Votre sac…

4. Jean-Claude ! Tes clés !

6 Garçon ! **Répétez.**

1. S'il vous plaît !

2. S'il vous plaît ! !

3. Garçon !

4. Hou hou ! Garçon !

5. Vous m'entendez ?

6. Trois cafés…

6 C'est pour toi !

Exemple : ***A** : J'attends François…*   ***B** : François !…On t'attend !*
      À vous !

1. A : J'attends François…   **B** : _____

2. A : Tenez, c'est pour Jacques.   **B** : _____

3. A : J'ai rendez-vous avec Juliette. **B** : _____

4. A : Je viens chercher Baptiste.   **B** : _____

5. A : Allô ! Je voudrais parler à Charles. **B** : _____

L E C T U R E   **Georges Conchon, l'État sauvage**

« À table ! cria Mme Gravenoire de sa voix enjouée, la plus jeunette. À tââble ! »

Avit se précipité dans la salle à manger, Gravenoire sur ses talons.

« Tu n'en veux pas ? C'est dit ?… Une fois ?… Deux fois ?… Tu as choisi de me vexer ? C'est donc ça ? »

« Tony ! Tony, voyons ! » dit Mme Gravenoire.

L E C T U R E   **Raphaël Confiant, *Le nègre et l'amiral***

« Cinquante francs tout rond, tout net, les trois mètres et demi de popeline. Vert, la couleur de l'espérance ! la couleur des yeux de la Sainte Vierge ! Entrez, Mesdames, entrez chez Doumit, le plus grand des plus extraordinaires magasins des Antilles. […]

Entrez-entrez, mesdames et messieurs, la soie de Chine enchantera vos nuits, cinquante francs le mètre !…[…] Cravates de cérémonie, cravates noires pour funérailles, cravates de fantaisie pour la bamboche, Messieurs, jeunes gens, qu'attendez-vous pour parer vos cols de chemise ? Entrez-entrez…

L'indignation

Vingt ronds ! Non mais,
qu'est-ce que vous voulez que je fasse
de vingt ronds !

Vingt ronds : vingt francs.

Raymond Queneau, *En passant*

1 **Écoutez le titre de cette unité et observez.** La somme proposée (vingt francs) est si faible qu'elle provoque l'indignation du locuteur.

Le débit du locuteur et le schéma intonatif de base sont modifiés dans l'expression des émotions extériorisées : le rythme est souvent transformé par des accents d'insistance à différents points de la phrase ; la voix traverse un plus grand nombre de registres.

Indignation : réaction à une action qui heurte votre sens moral et qui vous touche personnellement ou qui touche vos idéaux. Les motifs d'indignation ne sont pas nécessairement universels.

Structures syntaxiques : l'indignation peut se présenter sous la forme d'une question sans en avoir l'intonation et / ou peut reprendre un élément de la phrase impulsion.

Niveaux intonatifs

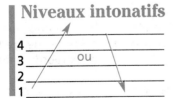

L'expression de l'indignation est caractérisée le plus souvent par une montée très nette ou par une descente très nette de la voix.

2 **Répéter les interjections et expressions qui peuvent exprimer l'indignation.**

1. Oh ! Dehors !   **2.** Hou Hou... Assez !   **3.** Hein ? Honteux !   **4.** À bas les impôts... !

3 Écoutez et choisissez puis indiquez la ponctuation qui correspond à l'intonation.

Exemple : *C'est débile !*

	Exemple	1	2	3	4	5	6	7	8
Indignation	X								
Autre									

1. Je rêve
2. Impossible
3. Ça, c'est dégoûtant
4. Jamais de la vie

5. C'est trop
6. Vous exagérez
7. Et puis quoi encore
8. Tu te moques de moi

4 Regardez le corrigé de l'exercice 3, puis répétez les phrases.

5 Trop, c'est trop ! **Répéter.**

1. Pas du tout !
2. Il n'en est pas question !
3. Ça, jamais !

4. C'est nul, c'est trop nul !
5. Ce n'est pas vrai !

6 C'est une honte ! **Répétez.**

1. Te licencier ? C'est honteux !
2. Tu es mis en pré-retraite ? Ce n'est pas possible !

3. Pas d'augmentation, c'est scandaleux !
4. Toi, on te change de service ? C'est n'importe quoi !

7 C'est exorbitant !

Exemple : ***A :** Cent euros, s'il vous plaît !*
           À vous !

***B :** Cent euros ! Vous vous moquez de moi !*

1. A : Cent euros, s'il vous plaît !
2. A : Ça coûte deux cents euros.
3. A : Mille euros le mètre carré.
4. A : Cinquante euros la bouteille.
5. A : Cinq cents euros par mois.

B : _____*Vous vous moquez de moi !*
B : _____*C'est du vol !*
B : _____*C'est de l'arnaque !*
B : _____*Ça coûte les yeux de la tête !*
B : _____*Vous m'avez regardée ?*

L E C T U R E

Colette, *La seconde*

« L'envie d'être loin d'ici lui sort par les pores ! » pensa Fanny, hors d'elle. « Il va s'en aller… Il va trouver un prétexte pour s'en aller… Est-ce tout ce qu'il dira ? Est-ce ainsi qu'on finit, ou qu'on commence une saison de la vie ?… »

L'enthousiasme – la satisfaction

J'étais sûre que tu serais splendide !
Le vert va si bien aux cheveux un peu roux !
Tu es belle comme un astre !

Françoise Mallet-Joris, *Le rempart des béguines*

1 **Écoutez le titre de cette unité et observez.** Le personnage est enthousiasmé par la beauté de son amie et l'exprime avec de nombreux accents d'insistance sur les mots importants. La voix traverse un grand nombre de registres.

> Le débit du locuteur et le schéma intonatif de base sont modifiés dans l'expression des émotions extériorisées : le rythme est souvent transformé par des accents d'insistance en différents points de la phrase ; la voix traverse un plus grand nombre de registres.

Enthousiasme : réaction à un événement qui fait plaisir, qui provoque une grande joie, une grande satisfaction, qui pousse à admirer. Les motifs d'enthousiasme sont souvent d'ordre personnel et culturel.

Structures syntaxiques : l'enthousiasme se présente souvent sous la forme de phrases exclamatives ou de mots-phrases.

Niveaux intonatifs

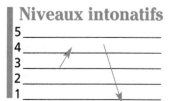

> L'expression de l'enthousiasme est caractérisée
> le plus souvent par un sommet sur le mot important
> suivi d'une descente nette.

2 **Répétez les interjections et expressions qui peuvent exprimer l'enthousiasme.**
1. Bravo ! Bis ! Encore !
2. Encore ! Allez les Bleus ! Vas-y ! Ouais !
3. Elle est top !

3 Écoutez et choisissez puis indiquez la ponctuation qui correspond à l'intonation.

Exemple : *C'est terrible !*

	Exemple	1	2	3	4	5	6	7	8
Enthousiasme	X								
Autre									

1. J'ai adoré
2. C'était super
3. C'était vraiment bien
4. C'est trop

5. C'est formidable
6. Ça me bouleverse
7. C'est la meilleure
8. Tu peux être fier de toi

4 Regardez le corrigé de l'exercice 3, puis répétez les phrases.

5 Super ! **Répéter.**
1. C'est trop bien !
2. Ah le pied !

3. C'est extra !
4. C'est génial !

6 Ce resto, un must ! **Répétez.**
1. Accueil très sympa !
2. Entrées, parfaites !
3. Les desserts, un délice !

4. Dîner inoubliable !
5. Ce resto, on aime !

7 Quel match !

Exemple : *A : Ce but, tu l'as vu ?*   *B : Ah ce but ! Incroyable !*
   À vous !

1. **A** : Ce but, tu l'as vu ?   **B** : _____
2. **A** : Ce point, super !   **B** : _____
3. **A** : Oh, quel jeu !   **B** : _____
4. **A** : Le gardien, il est bon…   **B** : _____
5. **A** : Le public est en délire !   **B** : _____

L E C T U R E   **Charles Baudelaire**

Que les soleils sont beaux dans les chaudes soirées !
Que l'espace est profond ! que le cœur est puissant !

L E C T U R E   **Albert Cohen,** *Mangeclous*

Qu'il était heureux ! Trente mille drachmes ! Le départ ! La cabine du bateau !
Les jolies petites couchettes, nom d'un Dieu très bon ! La brise marine ! La
proue du bateau ! Il s'y placerait à l'extrême pointe et se dirait qu'il respirait
un air que nul autre avant lui n'avait respiré ! O privilège ! O délices en ce
monde ! Sa joie l'angoissa.
O le grand bateau à vapeur qui les conduirait à Marseille ! Oh, savourer
l'odeur délicieuse du goudron et de la peinture surchauffée !

La colère

Imbécile ! Tu l'as tué ! Tu l'as tué !
C'est malin ! Bon Dieu !
Dis-moi la vérité, si tu veux que je t'aide !

Jacques Vallet, *Une coquille dans le placard*

1   **Écoutez le titre de cette unité et observez.** Le personnage maîtrise son émotion au début mais la colère l'emporte et ses manifestations s'extériorisent. On entend les deux modes d'expression de la colère.

> Le débit du locuteur et le schéma intonatif de base sont modifiés dans l'expression des émotions extériorisées : le rythme est souvent transformé par des accents d'insistance en différents points de la phrase ; la voix traverse un plus grand nombre de registres. Dans l'expression des émotions retenues, le débit est souvent ralenti, et la voix reste dans des registres médians.

Colère : réaction d'opposition mécontente, souvent accompagnée d'agressivité dont les motifs et l'expression sont d'ordre personnel et affectif. On distingue la colère froide intériorisée de la colère extériorisée.

Structures syntaxiques :
– La colère extériorisée se présente souvent sous forme de mots-phrases, parfois très grossiers, prononcés très fort avec un débit souvent rapide et une syntaxe très relâchée.
– La colère froide se manifeste par des phrases exclamatives prononcées avec un débit ralenti, une insistance sur tous les mots et une sensation d'émotion contenue.

Niveaux intonatifs

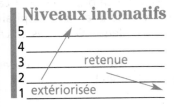

L'expression de la colère extériorisée est caractérisée par une montée de la voix dans le registre suraigu.
L'expression de la colère retenue, elle, s'exprime par une articulation exagérée et une intonation neutre.

2 Répéter les interjections et expressions qui peuvent exprimer la colère.

1. Assez !   **2.** Ça suffit !   **3.** Silence !   **4.** Ah, zut !   **5.** Hein ?

La colère s'exprime souvent avec des mots plus ou moins grossiers. On remarquera que ces mots grossiers sont souvent transcrits dans la littérature par l'initiale suivie de trois points de suspension. Exemples : « Espèce de c… ! » « B… de m… ! » « Eh ! P… ». La plus grande prudence s'impose dans l'utilisation des mots grossiers dans une langue étrangère, et en particulier pour les femmes.

3 Écoutez et choisissez.

Exemple : *Imbécile !*

	Exemple	1	2	3	4	5
Colère extériorisée						
Colère intériorisée	X					
Autre						

4 Regardez le corrigé de l'exercice 3, répétez les phrases puis lisez-les sans l'aide du support sonore.

5 Colère froide. **Répétez.**

1. Il commence à m'énerver !
2. Ça me tape sur les nerfs !

3. Je n'ai jamais vu une mauvaise foi pareille !
4. Nous n'avons de leçons à recevoir de personne !

6 Explosion de colère. **Répétez.**

1. Bande d'idiots !
2. Vous êtes dingues ?

3. C'est insupportable…
4. Je suis furieux, furax, fou de rage !

7 Mais écoute-moi donc !

Exemple : *A : Je ne te crois pas.*
             À vous !

B : Tu ne me crois pas, et pourquoi tu ne me crois pas ?

1. A : Je ne te crois pas.
2. A : Je te dis que ce n'est pas possible !
3. A : Il n'en est pas question !
4. A : Tu es complètement débile !
5. A : Tu es vraiment trop bête !
6. A : Je ne te parle plus.

B : _____
B : _____
B : _____
B : _____
B : _____
B : _____

L E C T U R E   **Georges Bernanos**

Quoi ! Cette nuit ne finira donc pas !…

L E C T U R E   **Hergé,** *L'Île Noire*

Indignés par procédé… non, ça n'est pas assez fort… euh… Bandits !…Renégats !…Traîtres !…Cloportes !…Signé : Capitaine Haddock.

L E C T U R E   **Michel Tournier,** *Gaspard, Melchior & Balthazar*

– Ce fripon me doit de l'argent, et il s'apprêtait à filer avec la caravane ! Il était temps qu'on l'arrête !
– Où L'emmène-t-on ? demanda Taor.
– Devant le juge mercurial, évidemment !
– Et ensuite ?
– Ensuite, s'impatienta le marchand, eh bien il faudra qu'il me rembourse, et comme il en est incapable, eh bien ce sera les mines de sel.

L'étonnement – la surprise

40

Corto Maltese ? ! ?
Ce n'est pas possible…
Tu es ici pour moi ?

Hugo Pratt, *Corto Maltese, la maison dorée de Samarkand*

1 **Écoutez le titre de cette unité et observez.**
On entend les deux modes d'expression de la surprise.

Le débit du locuteur et le schéma intonatif de base sont modifiés dans l'expression des émotions extériorisées : le rythme est souvent transformé par des accents d'insistance en différents points de la phrase ; la voix traverse un plus grand nombre de registres.
Dans l'expression des émotions retenues, le débit est souvent ralenti, et la voix reste dans des registres médians.

▌ Étonnement, surprise : réaction à quelque chose d'extraordinaire, d'inattendu.

Structures syntaxiques : la surprise se présente souvent sous forme de courtes phrases ou « mots phrases » exclamatifs ou interrogatifs. L'usage de l'intonation interrogative relance le dialogue et appelle une confirmation.

▌ **Niveau intonatif**

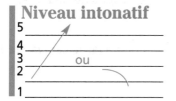

L'expression de la surprise
et de l'étonnement est caractérisée
par une intonation montante jusqu'au registre suraigu
ou par une intonation suspensive avec allongement
de la dernière syllabe.

2 **Répétez les interjections et expressions qui peuvent exprimer la surprise.**
1. Ah ! Ça alors ! **2.** Oh ! Nom d'une pipe ! **3.** Hein ? **4.** Eh bien, dis donc !

3   Écoutez et choisissez.

Exemple : *Pas possible !*

	Exemple	1	2	3	4	5
Surprise	X					
Autre						

4   Regardez le corrigé de l'exercice 3, puis répétez les phrases.

5   Vraiment ? **Répétez ces intonations montantes.**

1. Quoi ?

2. Non, c'est une blague ?

3. Tu plaisantes ?

4. Comment ?

5. Qu'est-ce que tu as dit ?

6   Oh la la ! **Répétez.**

1. Oh ça alors !

2. Je rêve !

3. Eh bien dis donc !

4. Pas possible !

5. C'est incroyable !

6. Je n'aurais jamais cru !

7. Oh, ça me surprend…

8. Tiens !

7   C'est incroyable !

Exemple : ***A : On a parlé de notre député au 20 heures. B : Au 20 heures ?***

> Le 20 heures est le journal télévisé de grande écoute, le soir.

À vous !

1. A : On a parlé de notre député au 20 heures.   **B** : _____

2. A : Il siège au Parlement européen.   **B** : _____

3. A : Il est président d'une commission.   **B** : _____

4. A : Il travaille sur la Constitution.   **B** : _____

5. A : Il a été vraiment bon !   **B** : _____

L E C T U R E   **Jules Verne, *Cinq semaines en ballon***

« Ah ! par exemple !

– Qu'est-ce donc, Joe ?

– Mon maître ! Monsieur Kennedy ! voilà qui est étrange !

– Qu'y a-t-il donc ?

– Nous ne sommes pas seuls ici ! Il y a des intrigants ! On nous a volé notre invention !

– Devient-il fou ? » demanda Kennedy. Joe représentait la statue de la Stupéfaction ! Il restait immobile.

– Par Saint Patrick ! s'écria à son tour Kennedy, ceci n'est pas croyable ! Samuel ! Samuel, vois donc ! Un autre ballon ! d'autres voyageurs comme nous ! »

L E C T U R E   **André Malraux**

Tout de même, quel roman que ma vie !

Le doute

Allons bon !
Moi aussi, maintenant, cela me prend ?
Enfin, voyons !
Suis-je en Lorraine, ou au pays d'*Il était une fois ?*...

Pierre Véry, *L'assassinat du Père Noël.*

1 **Écoutez le titre de cette unité et observez.** Le locuteur ne peut pas croire ce qui lui arrive. Les deux dernières phrases expriment son incrédulité.

> Dans l'expression des émotions retenues, le débit est ralenti, et la voix, souvent de faible intensité, reste dans des registres médians.

Doute : réaction d'incertitude retenue, souvent exprimée à mi-voix, quant à la véracité d'une affirmation ou la nature de la conduite à tenir.

Structures syntaxiques : le doute s'exprime souvent sous la forme d'une question, d'interjection invariable ou d'onomatopée.

Niveaux intonatifs

```
5 _____
4 _____
3 _____
2 _____ ou _____
1 _____
```

> L'expression du doute est caractérisée
> par une montée suspensive
> Ou par une attaque haute suivie d'une descente
> suspensive accompagnée d'un ralentissement.

2 **Répétez les interjections et expressions qui peuvent exprimer le doute.**

1. Tu rigoles ?
2. Mon œil !
3. À d'autres...
4. Tiens, tiens !
5. Pff..
6. Mm... oui !
7. Hein ! hein !

3 Écoutez et choisissez.

Exemple : *Hum...*

	Exemple	1	2	3	4	5
Doute	X					
Autre						

4 Regardez le corrigé de l'exercice 3, puis répétez les interjections.

5 Pas sûr ! **Répétez.**

1. Mm ! Ça m'étonnerait ! Ça dépend...
2. Pf ! Vous êtes sûr ?
3. Oui... À ce qu'il paraît ! Pas forcément...

6 Des vacances, tu crois ? **Répéter le monologue.**

1. Est-ce que c'est vraiment le moment ?
2. Tu penses qu'il va faire beau ?
3. Il faudrait prendre un week-end prolongé...
4. En cette saison, tu crois ?
5. Bof , on peut essayer, si vraiment ça te fait plaisir...
6. Je m'interroge...
7. Peut-être finalement, si tu arrives à me convaincre.

7 Son avenir.

Exemple : **A** : *Il va bien l'avoir, son bac...*   **B** : *Tu crois vraiment qu'il va l'avoir, son bac ?*
À vous !

1. **A** : Il va bien l'avoir son bac...   **B** : _____
2. **A** : Il travaille gentiment, non ?   **B** : _____
3. **A** : Je trouve qu'il est plutôt concentré...   **B** : _____
4. **A** : Oh ! C'est un garçon sérieux !   **B** : _____
5. **A** : On peut avoir confiance en lui.   **B** : _____

L E C T U R E

Marcel Pagnol, *Le château de ma mère*

– Nous partirons, même s'il pleut ?
– Nous avons neuf jours de vacances ! dit mon père. Et même s'il pleut, nous partirons !
– Et si c'est le tonnerre ? dit Paul.
– Il n'y a jamais de tonnerre en hiver.
– Pourquoi ?
Mon père répondit catégoriquement.
– Parce que. Mais naturellement, si la pluie est trop forte, nous attendrons le lendemain matin.
– Et si c'est une pluie ordinaire ?

Le regret – la tristesse

Aimer, aimer seulement,
quelle impasse !

Antoine de Saint-Exupéry

1 **Écoutez le titre de cette unité et observez.** Le locuteur exprime avec retenue ses regrets et ses doutes sur la condition humaine.

Le débit du locuteur et le schéma intonatif de base sont modifiés dans l'expression des émotions intériorisées : le débit est ralenti, et la voix, souvent de faible intensité, reste dans des registres médians.

Regret : chagrin, contrariété, réaction à une perte, à une déception qui implique une distance, une retenue. On distingue le regret d'ordre personnel du regret d'ordre social exprimé par des formules de politesse.

Structures syntaxiques : le regret personnel s'exprime souvent par des phrases inachevées et par un débit ralenti, hésitant.

Niveaux intonatifs

5 _____
4 _____
3 _____
2 _____
1 _____

L'expression du regret personnel est caractérisée
par une descente suspensive accompagnée
d'un ralentissement du débit.
L'expression du regret d'ordre social est caractérisée
par une intonation neutre.

2 **Répétez les interjections et expressions qui peuvent exprimer le regret personnel.**
1. Hélas !   **2.** Bah… bof …   **3.** Zut alors !   **4.** Pff !

3 Écoutez et choisissez.

Exemple : *Pardon !*

	Exemple	1	2	3	4	5
Regret	X					
Autre						

4 Regardez le corrigé de l'exercice 3, puis répétez les phrases.

5 Pardon ! **Répétez les formules de politesse.**

1. Désolé !
2. Oh, excusez-moi !

3. Je vous prie de m'excuser…
4. Non, il ne fallait pas, vous n'auriez pas dû !
   Cette formule exprime le regret, de politesse, que l'autre personne se soit donné du mal pour vous.

6 Tu te rappelles ? **Répétez.**

1. La maîtresse… Elle était si gentille !
2. On avait trois mois de vacances…

3. On était jeunes ! On était beaux !
4. C'était le bon vieux temps !

7 Moi aussi…

Exemple : *A : Je suis déçu.*
À vous !

B : Oui, c'est dommage. Moi aussi, je suis déçu.

1. A : Je suis déçu.
2. A : Je ne m'y attendais pas…
3. A : Je n'aurais pas cru ça de lui…
4. A : J'espérais bien, quand même !

B : _____
B : _____
B : _____
B : _____

L E C T U R E   **Michel Tournier**

Comme c'était difficile de vieillir !

L E C T U R E   **Hergé, *les aventures de Tintin, L'étoile mystérieuse***

Il est tombé à la mer !… Il a été englouti par les flots !… Et avec lui la preuve de ma découverte !… Fini !… Adieu, aérolithe !… Adieu, calystène…

L E C T U R E   **Denis Diderot, (sur sa robe de chambre).**

Pourquoi ne l'avoir pas gardée ? Elle était faite à moi ; j'étais fait à elle. Elle moulait tous les plis de mon corps sans le gêner ; j'étais pittoresque et beau.

L E C T U R E   **Françoise Sagan, *Les violons parfois***

Oh ! si, je crois qu'il y avait quelques personnes qui m'aimaient bien, à Nantes. Mais vous savez, j'aime beaucoup voir les gens, mais dès qu'on s'en va… On les sent si soucieux, si impliqués dans leur vie que… Bref, je me rends compte que mon absence n'a pas beaucoup d'importance.

L'agacement

Comment voulez-vous
qu'ils apprennent quelque chose… ?
Ça ne tient pas en place !
Jamais à la même adresse !

Yves Pagès, *Petites natures mortes au travail*

1 **Écoutez le titre de cette unité et observez.** L'expression de l'agacement est caractérisée par une articulation exagérée souvent accompagnée d'accents d'insistance.

Le débit du locuteur et le schéma intonatif de base sont modifiés dans l'expression des émotions extériorisées : le rythme est souvent transformé par des accents d'insistance en différents points de la phrase ; la voix traverse un plus grand nombre de registres. Dans l'expression des émotions retenues, le débit est ralenti, et la voix, souvent de faible intensité, reste dans des registres médians.

▎**Agacement** : réaction énervée d'impatience ou de mécontentement.

Structures syntaxiques : l'agacement s'exprime souvent par des phrases interrogatives ou exclamatives.

Niveaux intonatifs de l'agacement

L'expression de l'agacement intériorisé est caractérisée par une intonation suspensive. La montée jusqu'au registre suraigu indique un agacement extériorisé et une perte de contrôle de soi.

2 **Répétez les interjections et expressions qui peuvent exprimer l'agacement.**

1. Zut ! Assez…   **3.** Silence ! Hhrrr…   **4.** Pfff ! Tstst !

3 Écoutez et choisissez.

Exemple : *Excusez-moi !*

	Exemple	1	2	3	4	5
Agacement	X					
Autre						

4 Regardez le corrigé de l'exercice 3, puis répétez les phrases.

5 Assez ! **Répétez.**

1. J'en ai marre !
2. Ça suffit !
3. Ce n'est pas vrai !

4. Ça m'énerve !
5. La coupe est pleine !

6 Ça commence bien !

Exemple : **A** : *Tu as bien dormi ?*   **B** : *Non !*
         À vous !

1. **A** : Tu as bien dormi ?   **B** : _____
2. **A** : Tu t'es levée du pied gauche ?   **B** : _____
3. **A** : Tu es agacée ?   **B** : _____
4. **A** : Tu ne prends pas ton petit-déjeuner ? **B** : _____
5. **A** : Tu rentreras tard ?   **B** : _____
6. **A** : Bonne journée !   **B** : _____

L E C T U R E

Patrick Modiano, *Livret de famille*

– Il habitait bien square Carpeaux ? ai-je demandé.
Il a haussé les épaules d'un ton excédé :
– Non, Monsieur. Boulevard de Latour-Maubourg.
– Vous saviez qu'il avait une fille ?
– Mais non, voyons… c'est la deuxième fois que vous me le dites, Monsieur…
Vous aimez plaisanter, hein ?…
Il a plissé les yeux et m'a regardé, un rictus au coin des lèvres.
– Il aimait trop les hommes…
Sa voix me fit peur.
– Je crois que nous pouvons nous quitter… je n'ai plus rien à vous dire…
Il s'est levé. Moi aussi. Nous marchions côte à côte sur le trottoir de la place
Victor-Hugo.
– Pourquoi voulez-vous remuer le passé ?
Il se tenait devant moi, presque menaçant, avec son visage et son manteau
usés, ses cheveux déteints, son regard d'albinos.
– Vous ne pouvez pas nous laisser tranquilles une bonne fois pour toutes. Dites ?

L'ironie, l'implication

44

Toi,
quand tu arriveras un jour à l'heure,
c'est que tu te seras trompée d'heure.

Sacha Guitry

CASERNE DE POMPIERS

 1 Écoutez le titre de cette unité et observez.

Une phrase implicative laisse entendre une idée qui n'est pas exprimée par les mots seuls ; elle fait surgir des sous-entendus et elle a un contenu implicite qui peut faire référence à un contexte social ou personnel antérieur.
Le français oral utilise beaucoup l'implication dont l'intonation est difficile à entendre et à reconnaître et reste difficile à décoder pour des raisons d'ordre culturel.

Ironie : manière de se moquer de quelqu'un ou de quelque chose en disant le contraire de ce qu'on veut faire entendre avec une intonation qui dément le contenu des paroles.

Structures syntaxiques : il n'y a pas de structures syntaxiques spécifiques à l'ironie ou à l'implication.

Niveaux intonatifs

4
3
2   ou
1

L'expression de l'ironie est caractérisée par un allongement net de la dernière syllabe accompagné d'une courbe intonative peu descendante ou peu

 2 Répétez les interjections et expressions qui peuvent exprimer l'ironie.
1. Hein hein…   **2.** Ah ah !   **3.** Mais non, mais non !   **4.** Ah bon !

3 Écoutez et choisissez.

Exemple : *Bravo !*

	Exemple	1	2	3	4	5	6	7	8
h « muet »									
h « aspiré »	X								

4 Regardez le corrigé de l'exercice 3, puis répétez les phrases.

5 Le pauvre ! **Répétez.**

1. Il est malade…
2. Il est bien à plaindre !
3. Il ne peut pas aller travailler !

4. Obligé de rester chez lui par un froid pareil !
5. Il va s'ennuyer tout seul !

6 Quelle horreur, cette cravate !

Exemple : **A** : *C'est original, n'est-ce pas ?*   **B** : *Ah oui, très original !*
À vous !

1. **A** : C'est original, n'est-ce pas ?   **B** : _____
2. **A** : C'est de la belle qualité…   **B** : _____
3. **A** : La forme est à la mode !   **B** : _____
4. **A** : La couleur me va bien ?   **B** : _____
5. **A** : Ça fait habillé, non ?   **B** : _____

L E C T U R E   **Georges Conchon,** *L'État sauvage*

– Vous me direz que ça ne me regarde pas…
– C'est exactement ce que je vous dis !
– Eh bien, il est charmant, […], votre ami !…

L E C T U R E   **André Gide,** *Isabelle*

– Seriez-vous méchant, Monsieur l'abbé ?
– Mais non ! mais non… Cette bonne demoiselle, qui ne prend pas assez d'exercice, a besoin qu'on lui fouette le sang. Elle est très combative, croyez-moi ; quand je reste trois jours sans pousser ma pointe c'est elle qui vient ferrailler. À la Quartfourche les distractions ne sont pas si nombreuses !… […] Bonne nuit ! Dormez bien – me dit l'abbé avec un sourire ambigu.

La suggestion – le conseil

« Vous en reprendrez bien un petit peu…
Eh bien, tu ne manges pas ? »

Serge Joncour, *Situations délicates*

1 **Écoutez le titre de cette unité et observez.**

Une phrase implicative laisse entendre une idée qui n'est pas exprimée par les mots seuls ; elle fait surgir des sous-entendus et elle a un contenu implicite qui peut faire référence à un contexte social ou personnel antérieur.
Le français oral utilise beaucoup l'implication dont l'intonation est difficile à entendre et à reconnaître et reste difficile à décoder pour des raisons d'ordre culturel.

Suggestion : idée proposée à quelqu'un sur la conduite qu'il pourrait tenir.
Conseil : opinion donnée à quelqu'un sur ce qu'il devrait faire.

Structures syntaxiques : les conseils et les suggestions se présentent souvent sous la forme de phrases à l'impératif ou au conditionnel.

Niveau intonatif

```
4 _____
3 _____
2 _____
1 _____
```

L'expression de la suggestion est caractérisée par une courbe intonative suspensive montante.

2 **Répétez les phrases avec les interjections qui expriment la suggestion.**
1. Tu viendras, hein…
2. Eh, tu n'oublieras pas ?

E X E R C I C E S

3   Écoutez et choisissez.

Exemple : *On part en vacances ?*

	Exemple	1	2	3	4	5
Suggestion – conseil	X					
Autre						

4   Regardez le corrigé de l'exercice 3 puis répétez les phrases.

5   Je ne sais pas, moi… **Répétez.**

1. Si j'étais toi, j'irais le voir,
2. je m'expliquerais avec lui,
3. je ferais quelque chose…

4. Allez, ne reste pas comme ça !
5. N'attends pas qu'il se manifeste.
6. Fais le premier pas !

6   Il va faire froid !

Exemple : **A** : *À mon avis, tu devrais prendre un anorak.* **B** : *Tu entends… Et si tu prenais un anorak, hein…*
         À vous !

1. **A** : À mon avis, tu devrais prendre un anorak.   **B** : _____
2. **A** : Si j'étais toi, j'emporterais un bonnet.   **B** : _____
3. **A** : À ta place, je mettrais des moufles.   **B** : _____
4. **A** : Je pense qu'il faudrait acheter des bottes.   **B** : _____
5. **A** : Et surtout, je porterais des lunettes
   de soleil !   **B** : _____

L E C T U R E   **Marcel Proust, *À la recherche du temps perdu***

« Tu devrais peut-être essayer de dormir un peu. Si tu ne peux pas dormir, lis quelque chose. »

L E C T U R E   **Albert Cohen, *Belle du seigneur***

Eh bien alors séduis, fais ton odieux travail de technique et perds ton âme. Force-toi à l'habileté, à la méchanceté. Elle t'aimera, et mille fois plus que si tu étais un bon petit Deume. Si tu veux connaître leur grand amour, paie le sale prix, remue le fumier des merveilles.
[…] Donc, pendant le processus de séduction, prudence et y aller doucement. Par contre, dès qu'elle sera ferrée, tu pourras y aller. Après le premier acte, curieusement dénommé d'amour, il sera même bon, à condition qu'il ait été réussi et approuvé avec enthousiasme par la balbutiante pauvrette, il sera même bon que tu lui annonces qu'elle souffrira avec toi.

L'inachèvement

J'aime les nuages…
les nuages qui passent…
Là-bas… Là-bas…
les merveilleux nuages.

Charles Baudelaire

1 Écoutez le titre de cette unité et observez.

Une phrase implicative laisse entendre une idée qui n'est pas exprimée par les mots seuls ; elle fait surgir des sous-entendus et elle a un contenu implicite qui peut faire référence à un contexte social ou personnel antérieur.
Le français oral utilise beaucoup l'implication dont l'intonation est difficile à entendre et à reconnaître et reste difficile à décoder pour des raisons d'ordre culturel.

Inachèvement : arrêt, suspension d'une phrase qui exprime l'indécision, le doute, l'incertitude, l'embarras, le flottement.

Structures syntaxiques : l'inachèvement est caractérisé par des phrases incomplètes qui se terminent souvent par des points de suspension..

Niveau intonatif

```
4 _____
3 _____
2 _____ ou ___
1 _____
```

L'intonation de l'inachèvement est caractérisée par de nombreuses pauses, un allongement des syllabes, la production de « euh » et par une intonation suspensive montante ou descendante.

2 Répétez les interjections qui expriment l'inachèvement.
1. Euh…   **2.** Eh bien euh…   **3.** Oui euh…   **4.** Euh, fff…

3 **Écoutez et choisissez.**

Exemple : *Oui...*

	Exemple	1	2	3	4	5
Inachèvement	X					
Autre						

4 **Regardez le corrigé de l'exercice 3, puis répétez-les phrases.**

5 Qu'est-ce que tu veux faire plus tard ? **Répétez.**

1. Je ne sais pas...
2. Qu'est-ce que je pourrais...
3. Je ne suis pas sûr...
4. Pff, j'hésite...

5. Je n'ai pas vraiment envie...
6. Peut-être...
7. Ça serait bien de...
8. Ah vraiment, pas d'idées...

6 **Le cancre**

Exemple : **A** : *Quelle est la capitale de la France ?*   **B** : *Euh... Paris ?*
À vous !

1. **A** : Quelle est la capitale de la France ?   **B** : _____
2. **A** : Quelle est la monnaie européenne ?   **B** : _____
3. **A** : Quel fleuve coule à Paris ?   **B** : _____
4. **A** : Qui a fait construire le château
de Versailles ?   **B** : _____
5. **A** : Quelle langue parle-t-on à Québec ?   **B** : _____
6. **A** : Quelle est la couleur du cheval blanc
d'Henri IV ?   **B** : Eh bien... Blanc, tu viens de le dire !

Cette question est une devinette que les jeunes enfants aiment à se poser.

L E C T U R E   **Jean Tardieu,** *La comédie du langage*

Monsieur A, *avec chaleur* : Oh ! Chère amie. Quelle chance de vous...
Madame B, *ravie* : Très heureuse, moi aussi. Très heureuse de... vraiment oui !
Monsieur A, *avec chaleur* : Comment allez-vous depuis que ?...
Madame B, *très naturelle* : Depuis que ? Eh bien ! J'ai continué, vous savez, j'ai continué à...
Monsieur A, *avec chaleur* : Comme c'est !... Enfin, oui vraiment, je trouve que c'est...
Madame B, *modeste* : Oh, n'exagérons rien ! C'est seulement, c'est uniquement... Je veux dire : ce n'est pas tellement, tellement...
Monsieur A, *intrigué*, mais sceptique : Pas tellement, pas tellement, vous croyez ?
Madame B, *restrictive* : Du moins je le... je, je, je... Enfin !...
Monsieur A, *avec admiration* : Oui, je comprends : vous êtes trop, vous êtes trop de...
Madame B, *toujours modeste mais flattée* : Mais non, mais non : plutôt pas assez...
Monsieur A, *réconfortant* : Taisez-vous donc ! Vous n'allez pas nous... ?
Madame B, *riant franchement* : Non ! Non ! Je n'irai pas jusque-là !

Un temps très long. Ils se regardent l'un l'autre en souriant.

LECTURE

Molière, *L'avare, Acte IV, scène VII*

Harpagon : *(Il crie au voleur dès le jardin, et vient sans chapeau.)*
– Au voleur ! au voleur ! à l'assassin ! au meurtrier ! Justice, juste Ciel !
Je suis perdu, je suis assassiné, on m'a coupé la gorge, on m'a dérobé
mon argent. Qui peut-ce être ? Qu'est devenu ? Où est-il ? Où se
cache-t-il ? Que ferais-je pour le trouver ? Où courir ? Où ne pas
courir ? N'est-il point là ? N'est-il point ici ? Qui est-ce ? Arrête ! *(Il se
prend lui-même le bras.)* Rends-moi mon argent, coquin !... Ah, c'est
moi.

LECTURE

Jean Tardieu, *Dialogues à voix basse*

Quoi ! ces murs désolés ? Quoi ! ce jour sans ardeur ?
– C'est pourtant par ici que bat notre grand cœur.

Quoi ! ces poumons sans air ? Quoi ! ces gestes sans grâce ?
– C'est pourtant notre corps qui nous ouvre l'espace

Eh ! quoi ! Pas même un arbre et pas même un oiseau ?
– L'amour chante sans voir ! Mes mains sont des rameaux.

LECTURE

Raymond Queneau, *Exercices de style*

Tiens ! Midi ! temps de prendre l'autobus ! que de monde ! que de
monde ! ce qu'on est serré ! marrant ! ce gars-là ! quelle trombine !
et quel cou ! soixante-quinze centimètres ! au moins ! et le galon !
le galon ! je n'avais pas vu ! le galon ! c'est le plus marrant ! ça !
le galon ! autour de son chapeau ! Un galon ! marrant ! absolument
marrant ! ça y est le voilà qui râle ! le type au galon ! contre un
voisin ! qu'est-ce qu'il lui raconte ! L'autre ! lui aurait marché sur les
pieds ! Ils vont se fiche des gifles ! pour sûr ! mais non ! mais si ! va
h y ! va h y ! mords y l'œil ! fonce ! cogne ! mince alors ! mais non ! il
se dégonfle ! le type ! au long cou ! au galon ! c'est sur une place vide
qu'il fonce ! oui ! le gars !
Eh bien ! vrai ! non ! je ne me trompe pas ! c'est bien lui ! là-bas !
dans la Cour de Rome ! devant la Gare Saint-Lazare ! qui se balade en
long et en large ! avec un autre type ! et qu'est-ce que l'autre lui
raconte ! qu'il devrait ajouter un bouton ! oui ! un bouton à son
pardessus ! À son pardessus !

Quatrième partie

Difficultés particulières

Les caractéristiques des différents styles

Le style familier

– C'est à vous ce cabot ?
– N'ayez pas peur, il vous cause.
– Dites-lui de la boucler !

Jacques Vallet, *Une coquille dans le placard*

Plusieurs types de styles coexistent au sein d'une langue. La reconnaissance et le maniement des différents styles fait partie intégrante de son apprentissage.

Le choix du registre familier se fait dans les situations où le locuteur est très détendu. Il a alors une prononciation moins soignée : son articulation générale est moins tendue, il utilise un vocabulaire familier et il ne réalise pas toutes les liaisons considérées comme obligatoires. (cf. leçon 11)

Le style familier

est surtout employé entre proches (membres de la famille, amis), entre personnes appartenant à une même communauté sociale (camarades de classes, collègues de travail...). Le style familier peut être plus ou moins relâché et ne doit pas être confondu avec l'argot.

> Le style familier se caractérise par :
> – un vocabulaire familier, des emprunts à l'argot et au verlan,
> l'usage de formes tronquées, (cf. leçon 1)
> – une syntaxe simplifiée ou elliptique : suppression du « ne »
> de la négation, usage du « on » pour « nous » en position non-tonique,
> – une prononciation moins soignée :
> nombreuses chutes du / ə / , modifications de consonnes,
> ellipses de consonnes ou de voyelles, non prononciation de liaisons
> réalisées en style naturel.

L'argot : langage des malfaiteurs, langage particulier à une profession, à un groupe fermé. Des mots de l'argot peuvent passer en style familier de la langue commune. *Exemple : le raisiné = le sang*

Le verlan : langage surtout parlé par les jeunes, consistant à inverser les syllabes de certains mots, parfois avec altération. *Exemple : le tromé = le métro*

1 Classez les mots suivants selon leur style et donnez leur équivalent en style naturel.

	Exemple : fric	1. blase	2. chelou	3. labo	4. meuf	5. bouquin	6. mézigue	7. flic	8. bifton	9. ripou	10. boulot
Familier	= argent										
Verlan											
Argot											

2 Écoutez, choisissez le style que vous avez entendu et justifiez votre choix.

	Style naturel	Style familier	Raisons
Exemple : Je ne sais pas.		X	« ne » non prononcé
1. C'est la chambre des enfants.			
2. Donnez-m'en quatre kilos			
3. Qu'est-ce qu'ils font ?			
4. Je lui en veux.			
5. Je n'en peux plus !			
6. S'il vous plaît.			
7. Quelque chose t'ennuie ?			
8. Il n'y a qu'à le faire !			

3 Regardez le corrigé de l'exercice 2, répétez la phrase puis transformez-la.

L E C T U R E   **Jean Tardieu,** *La môme Néant*

– Quoi qu'a dit ?   – A quoi qu'a pense ?   Pourquoi qu'a dit rin ?
– A dit rin.   – A pense à rin.   Pourquoi qu'a fait rin ? ?
– Quoi qu'a fait ?   Pourquoi qu'a pense à rin ?
– A fait rin.   A 'xiste pas.

L E C T U R E   **Claude Duneton,** *Anti-manuel de français*

Toute question, même la plus banale, dévoile un petit quelque chose sur la personne du questionneur. D'autant qu'on peut se faire une idée plus précise d'après son ton, son langage. Ce n'est pas la même personne qui dira : « Pouvez-vous m'indiquer l'heure exacte, je vous prie ? » et « V'z-avez pas l'heure siou plaît ? « ou « T'as pas l'heure, mec ? « ou encore : « Pârdon ! L'heûre... Heûre ? Time ? Heûre, oui ?... » - On apprend plein de choses finalement, d'une petite question toute bête !

L E C T U R E   **Roland Barthes,** *Leçon inaugurale*

Si j'étais législateur, [...], loin d'imposer une unification du français, qu'elle soit bourgeoise ou populaire, j'encouragerais au contraire l'apprentissage simultané de plusieurs langues françaises, de fonctions diverses, promues à égalité [...]. Cette liberté est un luxe que toute société devrait procurer à ses citoyens : autant de langages qu'il y a de désirs : proposition utopique en ceci qu'aucune société n'est encore prête à admettre qu'il y a plusieurs désirs. Qu'une langue, quelle qu'elle soit, n'en réprime pas une autre.

Les onomatopées – la fonction phatique

Crac, boum, hue !

Jacques Dutronc, *Les cactus*

Les onomatopées

et l'usage de la fonction phatique
font partie de la communication dans une langue étrangère.

> Onomatopée : mot formé par imitation phonétique. Une onomatopée peut désigner des sons naturels ou artificiels. Les onomatopées n'ont rien d'universel, elles sont différentes selon les langues, au système phonétique desquelles elles appartiennent.

> Fonction phatique : La fonction phatique est la fonction du langage qui établit, maintient ou interrompt le contact entre deux locuteurs sans apport d'information.

1 Écoutez et trouvez qui ou quoi produit chacune des onomatopées et quel verbe en dérive. Cherchez l'onomatopée correspondante dans votre langue.

Onomatopée	Qui, quoi	Verbe	Votre langue
1. cui-cui-cui			
2. rr-rr-rr			
3. vroum, vroum			
4. miaou			
5. grgrgrgr			
6. ouh ouh			
7. glou glou glou			
8. ding deng dong			
9. toc toc			
10. clac			

2   **Qu'est-ce qu'on fait ? Écoutez et soulignez les mots de la fonction phatique puis répétez.**

1. A : Bon euh… Alors euh, qu'est-ce qu'on lui offre ?
2. B : Voyons voir hum ? Des fleurs ? ou bien euh…
3. A : Attends ! Voilà, pourquoi pas un disque, quoi ?
4. B : Tu crois ? Oh la la ! Ou alors euh… elle aime les roses, non ?
5. A : Pff… En fait euh, on ne sait pas ce qu'elle aime, si ?
6. B : Ah si ! Allez euh, va pour un disque, hein, c'est bon un disque !

3   Bon, ben, moi… **Mettez entre crochets tous les mots de la fonction phatique que vous trouvez dans ce monologue de Christine (14 ans) puis réécrivez-le en style naturel.** Cité par C. Duneton, JC Pagliano, *Anti-manuel de français*, Seuil

Pour améliorer les conditions de travail, bon ben, déjà i'faudrait êt' moins nombreux par classe, parce que, bon, ben moi avant, j'étais dans une classe où on était 23, 24 et ça a une sacrée différence quand on s'retrouve à 35 ou 36 cette année. On est fatigués, on a pas tellement d'heures, vraiment d'heures, vraiment de… bon, ben, moi déjà, j'ai pris latin, on m'a supprimé musique, bon ben, je sais pas, mais moi, j'trouve ça complètement débile, quoi, parce que supprimer une heure de musique pour une heure de latin, c'est pas bien.

4   Raymond Queneau, Exercices de style. **Attribuez au texte 1 les onomatopées correspondantes du texte 2.**

Les exercices de style présentent de la même anecdote racontée de 99 façons différentes.

1. Récit

Un jour vers midi du côté du parc Monceau, sur la plate-forme arrière d'un autobus à peu près complet de la ligne S (aujourd'hui 84), j'aperçus un personnage au cou fort long qui portait un feutre mou entouré d'un galon tressé au lieu de ruban. Cet individu interpella tout à coup son voisin en prétendant que celui-ci faisait exprès de lui marcher sur les pieds chaque fois qu'il montait ou descendait des voyageurs. Il abandonna d'ailleurs rapidement la discussion pour se jeter sur une place devenue libre. Deus heures plus tard, je le revis devant la gare Saint-Lazare en grande conversation avec un ami qui lui conseillait de diminuer l'échancrure de son pardessus en en faisant remonter le bouton supérieur par quelque tailleur compétent.

2. Onomatopées

Psst ! heu ! ah ! oh ! hum ! ah ! ouf ! eh ! tiens ! oh ! peuh ! pouah ! ouïe ! hou ! aïe ! eh ! hein ! heu ! pfuitt ! Tiens ! eh ! peuh ! oh ! heu ! bon !

L E C T U R E   **Serge Gainsbourg, *Comic Strip***
Viens petite fille dans mon comic strip
Viens faire des bulles, viens faire des WIP !
Des CLIC !, CRAP ! des BANG ! des VLOP et des ZIP !
SHEBAM ! POW ! BLOP ! WIZZ !

L E C T U R E   **Jean Genet, *Les paravents***
Et… boum !… Et… vlan ! Et… clac ! Zim ! Boum, boum ! Pan ici, pan là-bas !… Kgri ! Krii… Krâââ… Boum encore !

L E C T U R E   **Raymond Queneau, *Bâtons, chiffres et lettres***
Le langage oral comprend, outre les mots plus ou moins organisés en phrases, un nombre incroyable de grognements, raclements de gorge, grommellements, interjections, qui participent à la communication et qui ont une valeur sémantique ; et, naturellement, il faut tenir compte aussi de la part de la mimique.

L'assimilation

Un enfant a dit
Je sais des poèmes
Un enfant a dit
Chsais des poaisies

Raymond Queneau, *Un enfant a dit*

Assimilation :
modification partielle ou totale de la prononciation d'une consonne au contact immédiat
d'une autre consonne.

> Le phénomène de l'assimilation phonétique existe dans toutes les langues.
> Il est lié à une contrainte physiologique.
> Plus la force articulatoire d'un son est grande, plus il a de chances
> de transmettre ses caractéristiques aux sons qui l'entourent.
> Plus la parole est rapide, plus les assimilations seront nombreuses.

Assimilation directe : assimilation de deux sons en contact dans un même mot
et entre deux mots juxtaposés.

Assimilation indirecte : assimilation de deux sons en contact après une chute du / ə / .

1 **Écoutez le titre de cette unité et comparez.**
je sais - chsais.
Le poète a transcrit une assimilation très fréquente en français, due au contact établi entre / ʒ / ,
consonne sonore et / s / consonne sourde (cf. l'alphabet phonétique p. 124).

2 Que je te raconte... **Écoutez et indiquez l'assimilation que vous entendez.**

Exemple : *Main|t|é|n|ant, écoute-moi !*   Le « t » est nasalisé par le / n /.
1. Allô ! Tu as deux secondes que je te raconte ?
2. C'était le 24 décembre.
3. Il me dit : « Lève-toi vite !
4. Appelle le médecin tout de suite !
5. Je me suis tordu la cheville. »
6. En fait, c'était anecdotique…
7. Et, entre nous, tout à fait secondaire.
8. Allez, salut ! Grosses bises.

3 **Regardez le corrigé de l'exercice 2, répétez les phrases puis lisez-les sans l'aide du support sonore.**

4 Oui, oui, je sais bien !

Exemple : ***A : Je suis étonnée.***   ***B : Je sais bien que vous êtes étonnée !***
   À vous !
1. **A :** Je suis étonnée.   **B :** _____
2. **A :** Je suis vraiment surprise.   **B :** _____
3. **A :** Je suis très contrariée.   **B :** _____
4. **A :** Je suis même en colère.   **B :** _____

L E C T U R E   **Fredman & Jim,** *Tout ce qui fait râââler les nanas (BD)*

Ben heuu… avant pour me trouver un cadeau, mon mec il lui fallait bien une journée entière, une bonne journée de shopping… Ah ça on peut pas dire, il s'appliquait, hein… y fouinait, y cherchait, y dégottait la perle rare, y s'cassait la tête, quoi… Irréprochable, j'te jure, il a toujours été irréprochable ! Après, heu, avec le boulot tout ça… Tu sais c'que c'est – j'avoue, y négligeait un peu… Mais bon, en deux bonnes heures, il arrivait à s'en sortir… Y m'trouvait toujours un p'tit truc craquant pour me faire bien plaisir… Quand on aime hein… Et puis heu, ces dernières années, hein… J'crois bien que, cinq minutes avant la fermeture des boutiques, il devait speeder à mort, gros coup de bourre, mais note, il a toujours réussi à s'en sortir, hein, toujours une p'tite babiole, un p'tit quelque chose histoire de marquer l'anniversaire. C'est vrai, quoi… c'est important. Bon là, c'était hier… J'aimerais bien savoir comment il va s'en sortir…

Les ellipses

– T'as chaud ?	– Non…
– T'as froid ?	– Non…
– T'as quoi ?	– La clim…

Publicité

Dans un style familier ou avec un débit rapide, on aura tendance à ne pas prononcer certaines voyelles inaccentuées et certaines consonnes. La limite entre français populaire et français familier n'est pas toujours facile à tracer.

Ellipse
Effacement d'un son, caractéristique du style familier

> **Ellipse de voyelle**
> **Les voyelles inaccentuées tombent souvent,**
> **surtout dans les termes grammaticaux.**
> **Ellipse de consonne**
> **Le / R / et le / l / des groupes consonantiques tombent souvent,**
> **ainsi que le / l / du pronom « il ».**

L'une des ellipses les plus fréquentes est le remplacement des deux syllabes « tu as » = / t y A / par une seule syllabe / tɥ A / qui devient très souvent / t A / , notée « t'as » dans les BD et « ta » dans les SMS.

1 **Écrivez ces titres de films ou de chansons en supprimant les ellipses caractéristiques du style familier.**

1. Pour 100 briques, t'as plus rien _____
2. Y'a une fille qu'habite chez moi _____
3. T'as d'beaux yeux, tu sais _____
4. Y'a pas d'printemps _____
5. V'là l'bon vent _____
6. P'têt' que je suis pas jolie… _____

2   **Regardez les corrigés de l'exercice 1.**

3   Ça ne va pas fort ! **Écoutez et encadrez les ellipses.**

Exemple : *Il n'a plus le moral.*

1. Il semble fatigué.
2. Il n'a plus de travail.
3. Il ne l'a pas fait exprès !
4. Ça fait quatre mois que ça dure…
5. C'est comme ça parce que c'est comme ça !

4   Tu as vu cet exercice ? **Répétez.**

1. Il n'y a qu'à… il faut qu'on…
2. Peut-être oui, peut-être non !
3. J'en ai marre !
4. Il n'y a pas de quoi !
5. Il ne fallait pas…

5   C'est le grand jour !

Exemple : **A : *Paul se douche ?***   **B : *Oui, oui, il se douche !***
        À vous !

1. A : Paul se douche ?   **B :** _____
2. A : Il se rase ?   **B :** _____
3. A : Il se prépare ?   **B :** _____
4. A : Il se met sur son 31 ?   **B :** _____

L E C T U R E   **Renaud, *Tu vas au bal ?***

Tu vas au bal ? - qu'y m'dit   Et toi, t'y vas ? – qu'j'ui dis
J'ui dis : qui ? – y m'dit toi   Y m'dit : qui ? – j'ui dis toi
J'ui dis : moi ? – y m'dit oui   Y m'dit moi ? – j'ui dis oui
J'ui dis : non, je peux pas   Y m'dit : non, j'y vais pas
C'est trop loin – y m'dit bon   J'ai un rhume et j'ai froid

L E C T U R E   **Bobby Lapointe, *T'as pas, t'as pas tout dit***

T'as pas, t'as pas, t'as pas tout dit
T'as pas tout dit à ta doudou
T'as des doutes et t'y dis pas tout

L E C T U R E   **Hervé Le Tellier, *Joconde sur votre indulgence***

Z'avez beau dire…   Ça serait pas des fois de la terre
Y'a pas seulement de l'ocre.   de Sienne ?
Y'a autre chose.

Les liaisons facultatives

Comme l'intraitable patron [...]
se tenait en faction près de la caisse,
on ne pouvait y aller que trois ou quatre à la fois.

Dominique Fernandez, *Dans la main de l'ange*

Plusieurs types de styles coexistent au sein d'une langue. La reconnaissance et le maniement des différents styles fait partie intégrante de son apprentissage.

Le choix du style soutenu se fait dans les situations où le locuteur contrôle sa parole. Il a alors une prononciation plus soignée : son articulation générale est plus tendue, son lexique plus large et il fait un plus grand usage de la liaison facultative.

Le style soutenu

est surtout employé dans des situations où le locuteur contrôle ses émotions, maîtrise sa langue et élabore son discours.

> La réalisation de la liaison facultative
> dépend du style de communication.
> Elle tend à être réalisée dans des discours plus soutenus.
> Elle tend à ne pas être réalisée dans des discours plus familiers.

1 Écoutez le titre de cette unité et comparez les deux prononciations. Indiquez les liaisons et enchaînements dans les deux cas.

1. Comme l'intraitable patron [...] se tenait en faction près de la caisse, on ne pouvait y aller que trois ou quatre à la fois.

2. Comme l'intraitable patron [...] se tenait en faction près de la caisse, on ne pouvait y aller que trois ou quatre à la fois.

2   Regardez le corrigé de l'exercice 1, puis répétez-les deux prononciations.

3   Vous m'en direz tant ! **Répétez les dialogues.**

Aux personnes de dialogue (premières et deuxièmes personnes), la liaison relève d'un style soutenu.

1. A : Je suis argentin.

2. B : Ah ! Vous êtes argentin ?
3. B : Je pensais que vous étiez espagnol.

4. A : Nous sommes acteurs.

5. B : Ah ! Vous êtes acteurs ?
6. B : Je vous croyais écrivains.

Aux personnes de dialogue (premières et deuxièmes personnes), ne pas réaliser la liaison relève d'un style naturel.

7. A : Je suis américain.

8. B : Toi, tu es américain ?
9. B : Je te croyais australien.

10. A : On est artistes.

11. B : Vous, vous êtes artistes ?
12. B : Je pensais que vous étiez architectes.

Aux personnes de récit (troisièmes personnes), la liaison est obligatoire en style naturel.

13. A : Il est ingénieur.

14. B : Lui, il est ingénieur ?
15. B : Je pensais qu'il était informaticien.

4   Écoutez, choisissez le style que vous avez entendu.

	Style naturel	Style familier	Style soutenu
Exemple : Je suis étranger.	X pas de liaison		
1. On n'en a pas encore reçu.			
2. Nous sommes enchantés !			
3. Il doit y arriver.			
4. Ça, c'est un copain !			
5. Vous êtes en vacances ?			
6. C'est épouvantable…			
7. Vous n'y êtes pas encore !			
8. Ils pourraient être en retard.			
9. Il était une fois…			
10. J'ai beaucoup apprécié.			

5   Regardez le corrigé de l'exercice 4 et dites les phrases.

L E C T U R E   **Jean-Louis Fournier, *Grammaire française et impertinente***

Conjugaison du verbe « être (un hareng) »
Indicatif présent : Je suis un hareng, tu es un hareng, il est un hareng, nous sommes des harengs, vous êtes des harengs, il sont des harengs.

L E C T U R E   **d'après le *Dictionnaire étymologique* de Bloch et von Wartburg**

Un plaisant qui se trouvait avec deux dames voit un éventail. Madame, dit-il à l'une, cet éventail est-il à vous ? Il n'est point-z-à moi, Monsieur. Est-il à vous, dit-il à l'autre. Il n'est pas-t-à moi, Monsieur. Puisqu'il n'est point-z-à vous et qu'il n'est pas-t-à vous, ma foi, je ne sais pas-t-à qu'est-ce.

Serait à l'origine du mot « pataquès » qui désigne d'abord aujourd'hui toute faute de liaison entre deux mots.

La lecture (prose et poésie)

Un jour viendra où l'on verra
ces deux groupes immenses…
combinant ensemble ces deux forces infinies

Victor Hugo

La lecture de textes en prose implique

– **La réalisation de toutes les liaisons facultatives et une grande tension articulatoire,** (cf. leçon 51)
– **Le respect des règles de la chute et de la prononciation du** / ə / **(règle des trois consonnes),** (cf. leçon 14)
– **Le refus des assimilations,** (cf. leçon 49)
– **L'allongement des voyelles accentuées,** (cf. leçon 1)
– **La possibilité d'accentuer des mots partiellement désaccentués** (cf. leçon 5),
– **La possibilité d'accents d'insistance.** (cf. leçon 35)

LECTURE
Victor Hugo, *Discours d'ouverture du Congrès de la Paix à Paris, 21 août 1849*

Un jour viendra où l'on verra ces deux groupes immenses, les États-Unis d'Amérique, les États-Unis d'Europe *(applaudissements)*, placés en face l'un de l'autre, se tendant la main par-dessus les mers, échangeant leurs produits, leur commerce, leur industrie, leurs arts, leurs génies, défrichant le globe, colonisant les déserts, améliorant la création sous le regard du Créateur, et combinant ensemble pour en tirer le bien-être de tous, ces deux forces infinies, la fraternité des hommes et la puissance de Dieu !

LECTURE
Francis Ponge, *Le savon*

Il y a beaucoup à dire à propos du savon. Exactement tout ce qu'il raconte de lui-même, lorsqu'on l'agace avec de l'eau, d'une certaine façon. Il semble aussitôt enclin à beaucoup dire. Qu'il le dise donc. Avec volubilité, avec enthousiasme. Jusqu'à disparaître par épuisement de son propre thème. Quand il a fini de le dire, il n'existe plus. Plus il est long à le dire, plus il peut le dire longtemps, plus il fond lentement, de meilleure qualité il est. […]
Qu'il y ait beaucoup et presque infiniment à dire à propos du savon, c'est l'évidence même. Et peut-être plus à bafouiller qu'à dire. Une certaine volubilité extrême est ici de mise. Et un certain enthousiasme à se déperdre, à se livrer. […]
Et que cet exercice soit le plus convenable à l'hygiène intellectuelle, cela s'entend aussi.

Les différents styles

La courbe de tes yeux fait le tour de mon cœur,

Paul Éluard, *La courbe de tes yeux*

La lecture « classique » de textes poétiques implique :
– La réalisation de toutes les liaisons même entre mots accentués, (cf. leçon 13)
– La prononciation des / ə / en position finale devant consonne, (cf. leçon 14)
– Une tension et une précision articulatoire maximale demandant l'utilisation du système vocalique non réduit, (cf. alphabet phonétique, p. 124)
– Un allongement des voyelles accentuées, (cf. leçon 1)

Ces règles sont observées avec plus ou moins de rigueur selon les effets que l'on cherche à obtenir.

L E C T U R E   **Paul Éluard, *La courbe de tes yeux, extrait de Capitale de la douleur.***

La courbe de tes yeux fait le tour de mon cœur,
Un rond de danse et de douceur,
Auréole du temps, berceau nocturne et sûr ;
Et si je ne sais plus tout ce que j'ai vécu
C'est que tes yeux ne m'ont pas toujours vu.

Feuilles de jour et mousse de rosée,
Roseaux du vent, sourires parfumés,
Ailes, couvrant le monde de lumière,
Bateaux, chargés du ciel et de la mer,
Chasseurs des bruits et sources des couleurs,

Parfums éclos d'une couvée d'aurores
Qui gît toujours sur la paille des astres,
Comme le jour dépend de l'innocence
Le monde entier dépend de tes yeux purs
Et tout mon sang coule dans leurs regards.

LECTURE 1

Double Culture cité dans Pascal Aguillou et Nasser Saïki, *La Téci à Panam : Parler le langage des banlieues*

Au deblé, j'suis céfran
Et j'suis robeu en cefran
Kéblo entre ici et là-bas
Des fois j'ai envie de me séca
Mais c'est près d'Paris qu'j'ai grandi

Au bled, je suis français
Et je suis arabe en France
Bloqué entre ici et là-bas
Des fois j'ai envie de me casser
Mais c'est près de Paris que j'ai grandi

LECTURE 2

Robert Desnos, *Rue Aubry-le-Boucher* **(en démolition)**

Rue Aubry-le-Boucher on peut te foutre en l'air,
Bouziller tes tapins, tes tôles et tes crèches

Où se faisaient trancher des sœurs comaco blèches

Portant bavette en deuil sous des nichons rider.

On peut te maquiller de béton et de fer

On peut virer ton blaze et dégommer ta dèche
Ton casier judiciaire aura toujours en flèche
Liabeuf qui fit risette un matin à Deibler.

Rue Aubry-le-Boucher on peut te démolir,
Détruire tes bordels, tes hôtels et tes chambres

Où se faisaient posséder des femmes laides comme-cà

Portant un épais pubis noir sous une belle poitrine.

On peut te changer d'apparence avec du béton et du fer

On peut changer ton nom et tuer la misère
Ton casier judiciaire aura toujours en associé
Liabeuf qui a souri un matin à Deibler.

A Sorgue, aux Innocents, les esgourdes m'en tintent.

Son fantôme poursuit les flics. Il les esquinte.

Par vanne ils l'ont donné, sapé, guillotiné

Au soir, square des Innocents, les oreilles m'en tintent.

Son fantôme poursuit les policiers. Il les blesse.

Par tromperie, ils l'ont dénoncé, condamné, guillotiné.

Mais il décarre, malgré eux. Il court la belle,
Laissant en rade indics, roussins et hirondelles,

Que de sa lame Aubry tatoue au raisiné.

Mais il s'enfuit, malgré eux. Il s'évade.
Abandonnant indicateurs, agents de police et à vélo,

Que de son couteau Aubry tatoue avec du sang.

LECTURE 3

Jean-Marie Gourio, *Les nouvelles brèves de comptoir*

Oh ça, c'est vraiment gentil, vraiment gentil. Allô ! Allô ! Allô ! Ah, c'est toi, ma chérie ! C'est bien toi, ma chérie ? Oh, ma chérie, ma chérie, je suis contente de t'avoir, oui, je te téléphone d'un bar, oui, un bar.

GLOSSAIRE

ACCENT
1. Accent graphique. Il existe trois accents graphiques : l'accent aigu, l'accent grave et l'accent circonflexe. Pour la prononciation des lettres accentuées graphiquement, voir l'alphabet phonétique p. 124.
2. Accent rythmique. Il se manifeste par un accroissement de la durée accompagné d'une variation de la hauteur et de l'intensité. Il est situé à la fin des groupes rythmiques, sur la dernière syllabe prononcée.
3. Accent d'insistance. Voir Insistance.

ARCHIPHONÈME. Neutralisation d'une opposition entre deux phonèmes dans certains contextes ; l'ensemble des archiphonèmes forme le « système vocalique réduit » (voir alphabet phonétique p. 124).

ASSERTION. Forme grammaticale d'une phrase qui se donne pour vraie. L'assertion peut apparaître sous la forme affirmative ou sous la forme négative ; elle se distingue alors de la forme interrogative et de la forme impérative. Voir Intonation déclarative.

ASSIMILATION. Influence et transmission de certaines caractéristiques d'une consonne à la consonne qui la précède immédiatement.

CHUTE DU / ə / . La voyelle / ə / non accentuée, qui correspond le plus souvent à la lettre « e » à la fin de la syllabe écrite, peut, dans certains cas, ne pas être prononcée. On parle alors de « chute du / ə / » (ou de « / ə / instable » ou « / ə / caduc »). La prononciation ou la chute du / ə / obéit, en français standard, à la règle des trois consonnes. De nombreuses variations peuvent se rencontrer en fonction de la position du / ə / dans la chaîne parlée, du niveau de langue, de la rapidité du débit et des intentions expressives.

CONSONNE. Son produit par l'air qui rencontre dans la bouche un obstacle total ou partiel. Le français compte 17 consonnes (cf. alphabet phonétique p. 121).
1. Consonne sonore. Son prononcé avec vibration des cordes vocales. Ces consonnes sont un son associé à un bruit.
2. Consonne sourde. Son prononcé sans vibration des cordes vocales. On n'entend que le passage de l'air et ces consonnes ne sont qu'un bruit.
3. Consonnes géminées. Deux consonnes identiques, mises en contact, qu'il faut prononcer toutes les deux. Les consonnes géminées ne doivent pas être confondues avec les consonnes doubles de l'orthographe qui se prononcent comme une seule consonne, sauf dans certains cas d'hyper-correction. Ne sont étudiées ici que les consonnes géminées avec fonction distinctive. Les consonnes géminées sans fonction distinctive sont étudiées dans *La Phonétique Progressive* Intermédiaire.

CONTINUATION. Intonation caractéristique des groupes qui ne sont pas en fin d'énoncé.

DÉBIT. Vitesse et rythme d'élocution.

DÉSACCENTUATION. Un mot qui n'est pas à la fin d'un groupe rythmique perd son accent (il est désaccentué).
1. désaccentuation totale. Dans un groupe rythmique, les mots qui précèdent le noyau sont totalement désaccentués.
2. désaccentuation partielle. Le noyau, s'il n'est pas accentué par sa position finale dans le groupe rythmique, est partiellement désaccentué. Selon que le débit est plus ou moins rapide, l'articulation plus ou moins soignée, le type de situation de communication… les mots partiellement désaccentués peuvent être à nouveau accentués.

DÉTACHEMENT. Mot ou groupe de mots qui ne fait pas partie de la séquence principale de l'énoncé. Il en est séparé par une ou des virgules. Il existe des détachements initiaux, internes, finaux. Les détachements peuvent être supprimés de la phrase sans la rendre agrammaticale.

ÉGALITÉ SYLLABIQUE. Toutes les syllabes d'un mot ont la même durée. C'est le principe de l'égalité syllabique.

ÉLISION. Suppression de la voyelle finale d'un mot, dans la prononciation ou dans l'écriture. L'élision graphique est indiquée par une apostrophe.

ELLIPSE. Effacement, en français familier, d'un son autre que les sons normalement élidés.

ENCHAÎNEMENT CONSONANTIQUE. Si, dans la prononciation, un mot finit par une consonne et que le mot suivant commence par une voyelle, on forme une seule syllabe avec ces deux sons.

ENCHAÎNEMENT VOCALIQUE. Si, dans la prononciation, un mot finit par une voyelle et que le mot suivant commence par une voyelle, on passe d'une voyelle à l'autre sans interruption de la voix.

FONCTION
1. Démarcative. Distingue entre deux éléments d'un continuum sonore et segmente les unités de la chaîne sonore. L'accent rythmique, la pause et la mélodie peuvent remplir une fonction démarcative.
2. Expressive. Manifeste des émotions ou des sentiments en modifiant les schémas intonatifs de base.
3. Phatique. Établit, maintient, rompt ou rétablit le contact entre locuteurs.

GROUPE RYTHMIQUE. Ensemble de mots liés par une très forte cohésion syntaxique et / ou lexicale dont seule la dernière syllabe est accentuée.

H « ASPIRÉ ». Ne se prononce pas mais bloque tout phénomène de liaison et d'élision.

INSISTANCE. L'accent d'insistance (appelé aussi accent didactique) dépend de la situation de communication ; il se superpose à l'accent rythmique principal. Il provoque un allongement de la première consonne du mot ou peut se manifester par un coup de glotte si le mot commence par une voyelle.

INTERJECTION. Mots invariables qui expriment de façon directe, sous forme de cri ou d'apostrophe, une émotion. Certains mots deviennent des interjections lorsqu'ils expriment des ordres, des appréciations, etc.

INTERROGATION.
1. L'interrogation totale porte sur l'intégralité de l'énoncé et appelle la réponse oui / non.
2. L'interrogation partielle porte sur un élément de l'énoncé ; on y trouve un opérateur interrogatif. Voir Intonation interrogative.

INTONATION. Modulations de la voix inhérentes à la production de la parole. Trois intonations, dites « de base », ont une fonction syntaxique et démarcative :

1. Déclarative. Intonation des phrases assertives qui se caractérise par une descente mélodique finale.

2. Impérative. Intonation des phrases impératives qui se caractérise par une descente forte entre les deux dernières syllabes.

3. Interrogative. Intonation des phrases interrogatives qui peut être montante ou descendante sur la voyelle finale.

INVERSION DE PENTE MÉLODIQUE (IPM). Concept mis en évidence par Philippe Martin[1] selon lequel la pente mélodique de chaque groupe rythmique est l'inverse de la pente du groupe qui le suit, l'intonation de base donnant la pente du dernier groupe rythmique de la phrase.

---

1. Philippe Martin, « Prosodic and Rhythmic structures in French », *Linguistics*, 1987, p. 925-949.

LIAISON. Certaines lettres-consonnes finales de mot peuvent, dans certains cas, être prononcées avec la voyelle initiale du mot qui suit. La présence ou l'absence de liaison dépend le plus souvent du degré de cohésion lexicale et / ou syntaxique – et par conséquent accentuelle - entre les mots.
1. La liaison obligatoire est réalisée lorsque la cohésion entre les mots est maximale.
2. La liaison est le plus souvent impossible entre un mot accentué et le mot suivant.
3. La liaison facultative tend à être réalisée dans les discours soutenus, formels ou littéraires.

MONOSYLLABE. Mot composé d'une seule syllabe prononcée.

MOT PHONIQUE. Voir Groupe rythmique.

NIVEAU INTONATIF. On distingue les niveaux suraigu (5), aigu (4), infra-aigu (3), médium (2) et grave (1).

NOYAU. Le nom est le noyau du groupe nominal, le verbe le noyau du groupe verbal, l'adjectif le noyau du groupe adjectival.

ONOMATOPÉE. Mot formé par imitation phonétique.

OPÉRATEUR INTERROGATIF. Inversion, pronom, adverbe, adjectif, formule qui font que la phrase est une interrogation.

PAUSE. Les pauses ont un rôle démarcatif, puisqu'elles ne peuvent se trouver à l'intérieur d'un groupe rythmique. Leur nombre et leur durée dépendent en grande partie du débit de l'énoncé.

PHONÈME. Plus petit segment phonique dépourvu de sens, permettant de distinguer une syllabe d'une autre (cf. alphabet phonétique p. 124).

POLYSYLLABE. Mot formé de plus d'une syllabe prononcée.

SEMI-CONSONNE. Voir Semi-voyelle.

SEMI-VOYELLE. Rappelle la voyelle par sa sonorité et la consonne par le faible bruit de friction qui l'accompagne. Elle est émise plus rapidement que la voyelle et ne va pas jusqu'à produire le bruit de constriction d'une consonne. Le français compte trois semi-voyelles (cf. alphabet phonétique p. 125).

STYLE. Manière plus ou moins recherchée avec laquelle une personne s'exprime, en fonction de la relation entretenue avec l'auditeur.
On distingue :
– le style standard qui est employé dans des situations qui n'autorisent pas le style familier,
– le style soutenu qui est surtout employé dans des situations où le locuteur contrôle ses émotions, maîtrise sa langue et élabore son discours,
– le style familier qui est surtout employé entre proches ou entre personnes appartenant à une même communauté sociale. Le style familier peut être plus ou moins relâché et ne doit pas être confondu avec l'argot.
La distinction entre style soutenu, style standard et style familier repose sur des variations syntaxiques, lexicales, articulatoires et intonatives. La reconnaissance et l'usage de différents styles font partie intégrante de la maîtrise de la langue. Sauf mention particulière, les exercices de cette méthode sont enregistrés dans un style de référence, pris comme standard.

SYLLABE ORALE. Groupe de sons qui comporte une seule voyelle, prononcés en une seule émission de voix éventuellement accompagnée d'une ou plusieurs consonnes.

UNITÉ LEXICALE. Groupe de mots qui forment une unité de sens nouvelle.

VOYELLE. Son produit par la vibration des cordes vocales. Le français compte au maximum seize voyelles et au minimum dix. Voir Archiphonème (*cf.* alphabet phonétique p. 124).

ALPHABET PHONÉTIQUE

Les voyelles orales

Archiphonèmes (Système vocalique réduit)	Phonèmes	Graphies les plus fréquentes	Exemples
/i/	/i/	**i, î, ï, y**	*il île haïr cycle*
/E/	/e/	**é** **er, ez, ef, ed** (non prononcés en fin de mot) **e** + double consonne (sauf dans les monosyllabes) **es** (dans les monosyllabes) **ai** (en fin de mot)	*écrire, allé* *aller, allez, clef, pied* *dessin* *les, mes, ces,...* *gai, j'aimai, j'aimerai*
	/ɛ/	**è, ê** **ei, ai, e** + consonne(s) prononcée(s) dans la même syllabe orale **e** + double consonne (dans les monosyllabes) **ais, -ait, aie** (non prononcés en fin de mot)	*père, être* *seize, faire, mettre* *elle* *mais, fait, craie*
/A/	/a/	**a, à** **e** + **mm** (dans les adverbes) Cas particuliers	*chat, là* *prudemment* *femme, solennel*
	/wa/	**oi**	*noir*
	/ɑ/	**as, â**	*las, pâte*
/O/	/ɔ/	**o** (en fin de mot + consonne prononcée, sauf /z/) **u** + **m** en fin de mot, sauf « parfum »	*bol* *maximum*
	/o/	**eau, au, ô** **o** en fin de mot **o** + consonne non prononcée **o** + /z/	*beau, Beauce, haute, côte* *piano* *dos, idiot* *rose*
/U/	/u/	**ou, où, oû, aou, aoû** mots empruntés à l'anglais	*route, où, goût, saoul, août* *foot, clown, pudding...*
/Y/	/y/	**u, û, ü** **eu, eû** (conjugaison d' « avoir ») **uë**	*perdu, dû, Saül* *j'ai eu, nous eûmes* *aiguë*
/Œ/	/ø/	**eu, œu** en fin de syllabe, **eû** **eu** + /z/ ou /t/,	*feu, deuxième, vœu, jeûne* *amoureuse, feutre*
	/œ/	**eu, œu** + consonne prononcée (sauf /z/ /t/) Cas particuliers **-cueil, -gueil** mots empruntés à l'anglais	*heure, œuf* *accueil, orgueil, œil* *club, t-shirt, roller...*
	/ə/	**e** dans les monosyllabes **e** en fin de syllabe préfixes **re** + **ss** et **de** + **ss** Cas particulier **ais** dans certaines formes de « faire »	*le* *reprendre, appartement* *ressource, dessus* *monsieur* *faisons, faisait*

Les voyelles nasales

Archiphonèmes (Système vocalique réduit)	Phonèmes	Graphies les plus fréquentes	Exemples
/Ẽ/	/ɛ̃/	*in, im*, yn* *ein, eim*, ain, aim** *(i)e, (y)en, (é)en* Cas particulier : *-en* dans les noms	*vin, timbre* *plein, Reims, main, faim* *mien, moyen, européen* *examen*
	/œ̃/	*un, um**	*brun, parfum*
/ã/	/ã/	*En, em, an, am** *aen, aon* *(i)en(t)* (dans les noms et adjectifs)	*vent, membre, sans, chambre* *Caen, Laon* *client, patient*
/õ/	/õ/	*on, om**	*mon, ombre, nom*

* Le « *m* » se trouve devant les lettres « *p, b, m* » et parfois en fin de mot.

Les semi-consonnes

Phonèmes	Graphies les plus fréquentes	Exemples
/j/	*i* + voyelle prononcée *y* + voyelle prononcée voyelle + *il* final voyelle + *ill* + voyelle 2 consonnes + *i* + voyelle orale consonne(s) + *ill* + voyelle voyelle + y + voyelle	*ciel* *yeux* *travail* *travaille* *crier* *bille, brille* *payer*
/ɥ/	*u* + voyelle prononcée	*huit, lui*
/w/	*ou* + voyelle prononcée *oi, oin* *w* dans les mots anglais	*oui, mouette* *moi, loin* *week-end*

Les consonnes occlusives (momentanées)

Phonèmes	Graphies les plus fréquentes	Exemples
/p/	**p, pp**	*par, ap**p**rend*
/b/	**b, bb**	*bon, ab**b**aye*
/t/	**t, tt, th** **d** en liaison	*ton, attendre, théâtre* *grand /t/ ami*
/d/	**d, dd, dh**	*dans, addition, adhésion*
/k/	**c cc** + consonne **cc** + a **cc** + o **qu, k, (ch)**	*café, accroc, accord* *quai, kaki, (chœur)*
/g/	**g** (+ a + o), **gu**	*gare, goût, Guy*

Les consonnes constrictives (continues)

Phonèmes	Graphies les plus fréquentes	Exemples
/f/	**f, ff, ph**	*fille, effet, photo*
/v/	**v, (w)**	*voiture, (wagon)*
/s/	**s** sauf entre deux voyelles graphiques **ss, sc** **ce, ci, cy** **ça, ço, çu** **ti** + voyelle, sauf dans les imparfaits Cas particuliers : **x**	*savoir, pense* *poisson, descendre* *cela, cinéma, cycle* *ça, garçon, reçu* *nation, patient* *dix, soixante*
/z/	**s** entre deux voyelles graphiques, **z** **s** en liaison, **x** en liaison	*poison, douze* *tes /z/ enfants, deux /z/ amis*
/ʃ/	**ch, (sh), (sch)**	*chien, shampoing, schéma*
/ʒ/	**j** **ge** + a **ge** + o **ge** + u **g** + e **g** + i	*je* *mangeait, Georges, nageur* *genou, girafe*

Les consonnes sonnantes nasales

Phonèmes	Graphies les plus fréquentes	Exemples
/m/ /n/	**m, mm** **n, nn**	*mettre, emmêler* *notre, année, △ automne*
/ɲ/	**gn**	*signe*

Les consonnes sonnantes liquides

Phonèmes	Graphies les plus fréquentes	Exemples
/l/ /R/	**l, ll** **r, rr, (rh)**	*lit, belle* *riz, terre, rhume*

INDEX

N° d'éditeur : 10129279 juin 2006
Imprimé en France par Mame imprimeurs